MATERIALES DE CONSTRUCCION

PROYECTO PORTAL DE SAN JACINTO APARTAMENTOS – PEREIRA (RDA)

CONSTRUCTORA PORTAL DE SAN JACINTO S.A.S.

LOPEZ HERMANOS INGENIEROS LTDA

FOTOGRAFIA JOSÉ GILBERTO LÓPEZ HERRERA

JOSÉ GILBERTO LÓPEZ HERRERA

Ingeniero Civil – Universidad Nacional Seccional Manizales

Especialista Alta Gerencia – Universidad Libre Seccional Pereira

Especialista Ingeniería Hidráulica y Ambiental – Universidad Nacional Seccional Manizales

JOSÉ GILBERTO LÓPEZ HERRERA

Nació en Manizales (Caldas), ciudad donde terminó sus estudios se graduó de Ingeniería Civil, en la Universidad Nacional el 22 d diciembre de 1976. A partir de esa fecha con su esposa Gloria Iné Bedoya se radicó en la ciudad de Pereira (Risaralda), dond nacieron sus tres hijos, Sandra Ximena, Carlos Andrés, Carolina la nieta hija Manuela, a la fecha con cuatro nietas y mi niet Mathías en espera, donde inició a ejercer su profesión en el Fond Rotatorio de Valorización Municipal como Ingeniero hasta se Director de la Sección Técnica y a partir de Septiembre 25 de 198 en sociedad, de la cual somos socios: Luis Carlos y Jos Gilberto López Herrera, contando con un gran equipo de talento humano, quienes ha contribuido con sus aportes a este libro y con su gran compromiso y sentido de pertenenci para mantener una excelente imágen corporativa de la empresa, cumpliendo en Septiembre 2 de 2020 los cuarenta (40) años de empresa en el medio. como socios de la firma LÓPEZ HERMANOS INGENIEROS LTDA. Firma que ha ejecutado importantes obras en e departamento de Risaralda: Avenida del Río, Avenida Ferrocarril, Puente Tubadocito (Chocó) Obras varias en Suzuki Motor y Busscar de Colombia, Bocatoma de Belmonte, Viviendas Campestre D, Bodegas (2) en Mercasa, Coliseo y Kínder Colegio Las Franciscanas, Coliseo y Aulas Colegio Jesús María Ormaza, Hospital Regional de La Virginia, y otras obras en los diferentes municipios; además la gradería sur del Estadio Hernán Ramírez Villegas, las Facultades de Economía y el Edifico de Ingenierías de la Corporación Universidad Libre de Pereira, Colegio Empresarial, reconstrucciones de edificaciones como el Teatro Santiago Londoño con la construcción de dos Salas de Exposiciones, el CAM de Cuba, Tratamientos de Taludes, Cauces de ríos y quebradas, y obras en Comestibles La Rosa y Coats Cadena. Edificio dos Álamos (Manizales), además Urbanizaciones: como Hamburgo, El Cardal, Portales de Birmania, sector La Acuarela de Cuba, Villa Ligia I Etapa, Villa Cecilia, La Eugenia en Santa Rosa de Cabal, Bella Vista en Cartago y en la actualidad construyendo 174 soluciones de vivienda en el Portal de San Jacinto, 6 torres de 129 apartamentos VIS, 734 VIVIENDAS VIS MIRADOR DE LA ESTANCIA EN DOSQUEBRADAS – RISARALDA Y SUPERVISION TECNICA DE PROYECTOS, supervisor Técnico de Proyectos: Tisú segunda etapa – Bali (2) dos Torres de Apartamentos, oval Média, Amarú 3 torres de Apartamentos, Edificio Integra,

Edificio Merheg. Con la empresa TFCOL S.A.S., diseñador de redes acueducto alcantarillado y director de obra del proyecto Senderos de Makari en el municipio de Dosquebradas (Risaralda) para lotes con servicios. Es además, Auditor Interno de calidad de la norma ISO 9001 Versión 2015, Auditor Principal, Jefe de Gestión de la Calidad y Director de Proyectos de LÓPEZ HERMANOS INGENIEROS LTDA., firma para la que, como Asesor del Sistema de Gestión de Calidad, logró la acreditación con el ICONTEC de la norma ISO 9001 Versión 2000 en Julio 26 de 2002, lo cual la ubica como una de las primeras Firmas de Ingeniería de Construcción, en obtener esta Certificación con la nueva versión (2000-2008 y 2015); iniciando amistad con un experto asesor y amigo de empresas en el Sistema de Gestión de la Calidad de la Norma ISO, Edison Benítez Salazar. Docente universitario tres (3) años en la Universidad Antonio Nariño, diecisiete y medio años (17,5) como docente y Decano de la Facultad de Ingenierías de la Universidad Libre Seccional Pereira de julio 2011 a abril 2012. Cofundador del programa de Ingeniería Civil junto con el Dr. Jaime Montoya Ossa de la Universidad Libre.

Otros libros escritos: Acueductos, Hidráulica en Alcantarillados, (textos guías), El uso del Jabón en la construcción, Caravana de Sensaciones (Poemas), Perspectivas Actuales (ensayos administrativos), Mi Yurupari (Poemas), El Arte de ser Sensible, (Poemas), Materiales de construcción.

Y ahora PLEGARIA A UNOS VERSOS (Poemas), haciendo homenaje con mucho orgullo a Dios y con el corazón henchido al cumplir en el año 2020, los cuarenta años nuestra Empresa LOPEZ HERMANOS INGENIEROS LTDA.

NOTA DE AGRADECIMIENTO

A mi familia, mi esposa, mis hijos, nuera Juliana, yernos Rafael y Sebastian, nietas, futuros nietos, amigos, a los padres adoptivos de mis hijos en Estados Unidos, a quienes creen en la vida, el amor y en nuestro País,
en especial a la ¡mujer que amo con amor puro y eterno!
porque eres una flor, con amor y sentimiento.

A Julian Andrés Largo Oyola y María Idalia Hurtado García,
quienes han hecho posible la transcripción.

FEBRERO 20 DE 2020

TEMAS LIBRO MATERIALES DE CONSTRUCCION

JOSÉ GILBERTO LÓPEZ HERRERA – INGENIERO CIVIL

I. CUATRO (4) MÉTODOS DISEÑO MEZCLAS EN CONCRETO

1. Método de ABRHAMS
2. Método de GARCIA BOLADO
3. Método ACI
4. Método de FERET

II. COSTOS HORARIOS OPERACIÓN DE MAQUINARIA Y EQUIPO

III. CLASIFICACIÓN DE SUELOS

IV. TABLAS DE INVIAS RESUMEN PARA CONTROL AGREGADOS Y MEZCLAS ASFÁLTICAS

V. TABLAS PROPORCIONES MEZCLAS DE MORTEROS – CONCRETOS Y ACEROS.

VI. TENSOACTIVO HIDRATANTE PARA MORTEROS

VII. BIBLIOGRAFÍA

FEBRERO 20 DE 2020

PRÓLOGO

En los años recorridos como Ingeniero Civil, con el servicio tanto a la entidad pública como privada y habiendo tenido el privilegio de incursionar en la academia, he querido plasmar unos temas didácticos, que deben servir a todo profesional en el ejercicio de la profesión y que son de utilización oportuna en el diario vivir de ejecución de sus proyectos o planificación de los mismos.

Espero sea de utilidad y quede plasmado, un aporte como el conocimiento servido y aprendido, tomado de apuntes de clases y experiencias prácticas como en la docencia, además de aportes de publicaciones de Universidad Nacional y Universidad Libre Sesional Pereira y entidades, para las generaciones que llegan a titularse y como premisa principal, tener en cuenta la ética y los valores que sean predominantes en cada profesional de la ingeniería y la arquitectura.

El autor

FEBRERO 20 DE 2020

I. CUATRO (4) MÉTODOS DISEÑO MEZCLAS EN CONCRETO

1. MÉTODO DE ABRHAMS

2. MÉTODO DE GARCIA BOLADO

3. MÉTODO ACI

4. MÉTODO DE FERET

FUENTE: INFORME LABORATORIOS ESTUDIANTES (YA HOY INGENIEROS) ASIGNATURA MATERIALES DE CONSTRUCCION (Universidad Libre Seccional Pereira)

NORMAS INVIAS

NORMA NSR – 10 Y DECRETOS COMPLEMENTARIOS

DOSFICACION DEL CONCRETO

MÉTODO DE ABRAMS:

– Calculo De B:

De acuerdo a la granulometría que tengamos del agregado grueso y al módulo de finura de la arena, de la siguiente tabla obtenemos el correspondiente valor de b/bo.

Tabla Pág. 69 (El Concreto Y Otros Materiales Para La Construcción, Universidad Nacional De Colombia, Sede Manizales, Libia Gutiérrez De López.

Modulo Finura	2,80	2,839	2,90
b/b_o	0,70	**0,696**	0,69

$$\text{Interpolación } (b/b_o) = \frac{0,70 - 0,69}{2,90 - 2,80} \times (2,90 - 2,839) + 0,69$$

$$\text{Interpolación } (b/b_o) = 0,6961$$

Calculamos

$$b_o = \frac{\text{Peso específico Apisonado de la grava}}{\text{Peso específico Aparente de la grava}}$$

$$b_o = \frac{1781,303 \text{ kg/m}^3}{2420 \text{ kg/m}^3}$$

$$b_o = 0,7360755$$

Y encontramos b, Este es el volumen Aparente del Agregado Grueso por metro cúbico de concreto.

$$b = (b/b_o)(b_o)$$
$$b = (0,696)(0,7361)$$
$$b = 0,5124 \quad m^3$$

DETERMINACIÓN DEL CEMENTO Y DEL AGUA:

$\frac{lts}{m3}$De la grafica siguiente, y de acuerdo con la forma del agregado grueso, su tamaño máximo y el asentamiento, una cuantía de agua en de hormigón.

Grafico # 5 - Cantidad de Agua para mezclas

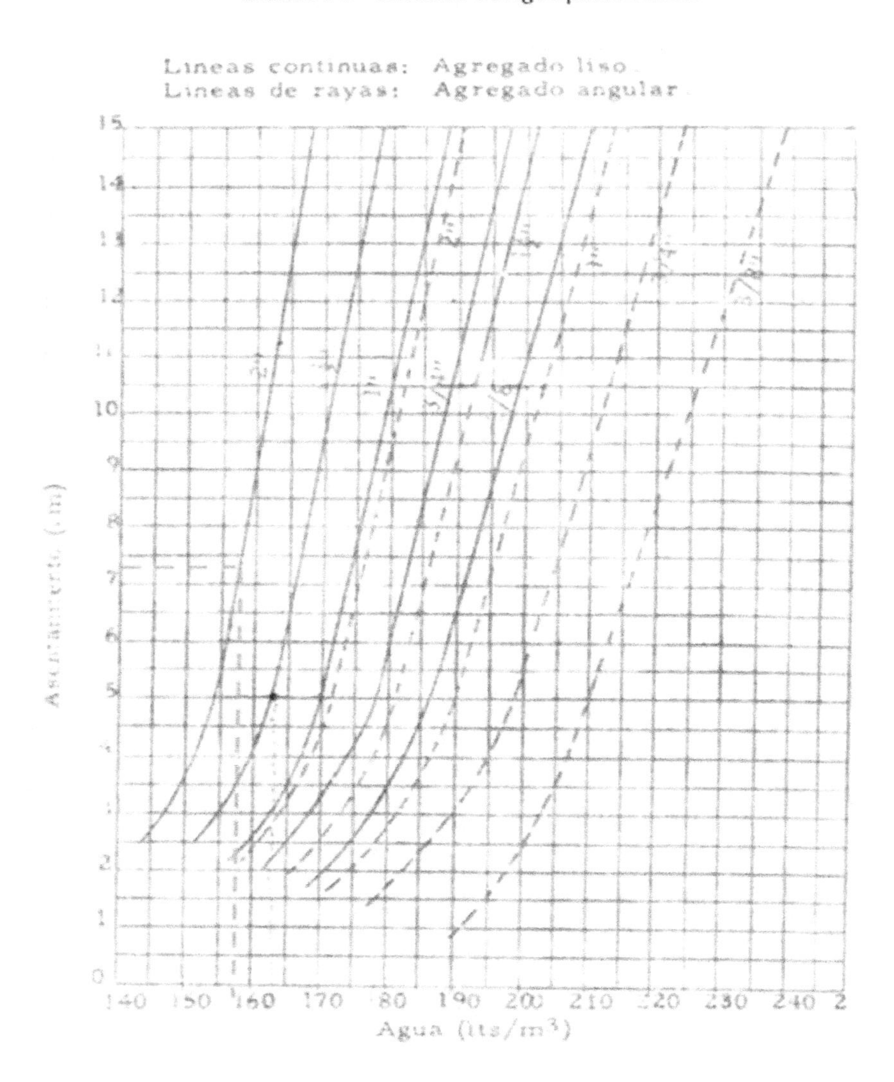

$\frac{Kg}{m3}$En cuanto al cemento, en el grafico que depende de la granulometría del agregado grueso, para el asentamiento previamente definido, un agregado grueso de Peso unitario alto o bajo y la resistencia que se quiere obtener, se encuentra una dosificación de hormigón.

Grafico # 4 - Agregado Grueso No. 4´´ - 2´´

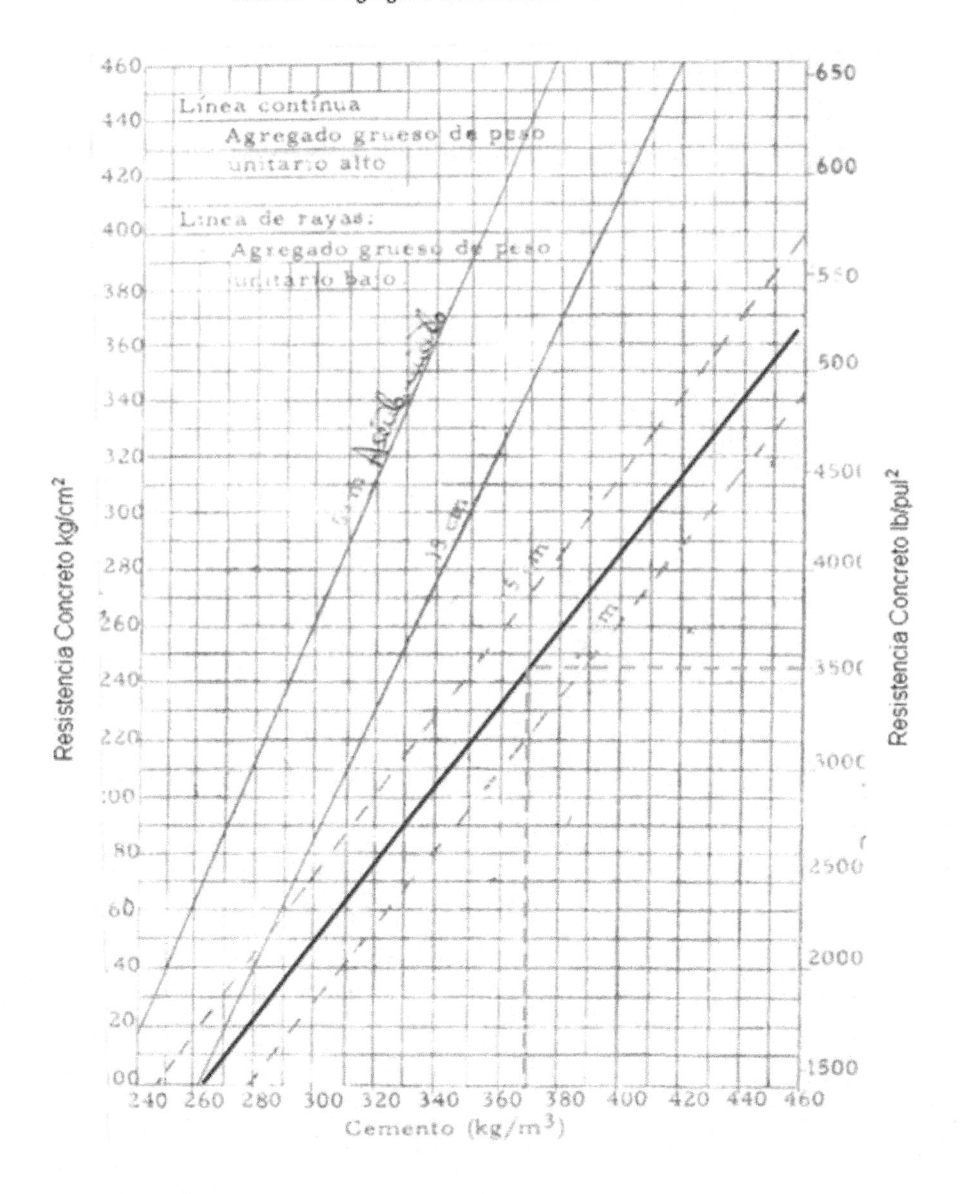

Ver Grafico # 5 (Cantidad de Agua para mezclas) =
158 lt/m³ AGUA
Ver Grafico # 4 (Agregado Grueso # 4 - 2`` - Cemento) =
370 kg/m³ CEMENTO

CALCULO DE LA ARENA:

- Volumen del agregado grueso por m3 de concreto:

Corresponde al valor de b, previamente obtenido. b: 0,5124 m³

- Volumen de agua por m3 de concreto:

Tomamos la cuantía del agua lt /m3 y la dividimos por su peso específico: 1000 lt, lo que nos da el valor en m3

$$\frac{158\ lt/m^3}{1000\ lt} = 0{,}158\ m^3$$

– Volumen de cemento por m3 de concreto:

Tomamos la dosificación de hormigón Kg/m3 y la dividimos por su peso específico: 3150, lo que nos da el valor en m3

$$\frac{370\ kg/m^3}{3150\ kg} = 0{,}1175\ m^3$$

SUMA: Procedemos a sumar los anteriores valores, al resultado lo llamaremos X, y será utilizado a continuación.

$$X = 0{,}5124\ m^3 + 0{,}1580\ m^3 + 0{,}1175\ m^3$$
$$X = 0{,}7878425\ m^3$$

Volumen de Arena por m3 de concreto:

Corresponde a: (1 – X)

$$1 - 0{,}7878 = 0{,}2122\ m^3$$

PROPORCIONES EN PESO:

CEMENTO: Dato de dosificación del cemento

ARENA: (Volumen de arena por m3 de concreto) x (peso específico aparente)

AGREGADO GRUESO: (Volumen de agregado grueso por m3 de concreto) x (peso específico aparente)

Y para determinar las proporciones, simplemente se divide cada uno de los datos anteriores sobre el valor del cemento:

Cemento (C): 370 kg

Arena (A): Volumen Arena /m³ × Peso Unitario Aparente
Arena (A): $0{,}2122\ m^3 \times 2590\ kg/m^3$
Arena (A): 549,488001 Kg

Grava (G): Volumen Grava /m³ × Peso Unitario Aparente
Grava (G): 0,5124 m³ × 2590 kg/m³ : 1239,965 kg
Grava (G): 1239,96481 Kg

Cemento (kg)	370
Arena (kg)	549,488
Agregado Grueso (kg)	1239,965

C: C/C	$\frac{370\ kg}{370\ kg}$ =	1,00
A: A/C	$\frac{549,488\ kg}{370\ kg}$ =	1,49
G: G/C	$\frac{1239,965\ kg}{370\ kg}$ =	3,35

Cemento: 29,5 kg

Arena:

C **Ar**
370 Kg → 549,488 kg
29,5 kg x

$$x = \frac{(29,5\ kg)(549,488\ kg)}{370\ kg} = \mathbf{43,81}\ \mathbf{Kg}$$

Grava:

C **G**
370 Kg → 1239,965 kg
29,5 kg x

$$x = \frac{(29,5\ kg)(1239,965\ kg)}{370\ kg} = \mathbf{98,86}\ \mathbf{Kg}$$

Agua:

C **Ag**
370 Kg → 158 lt
29,5 kg x

$$x = \frac{(29,5\ kg)(158\ lt)}{370\ kg} = \mathbf{12,60}\ \mathbf{Lt}$$

ENSAYO DE RESISTENCIA A COMPRESIÓN

Cilindros 1 y 2 se estallaron en la fábrica GEOTECNIA INGENIERIA LTDA.

CILINDRO 1

Peso: (14.047 Kg)

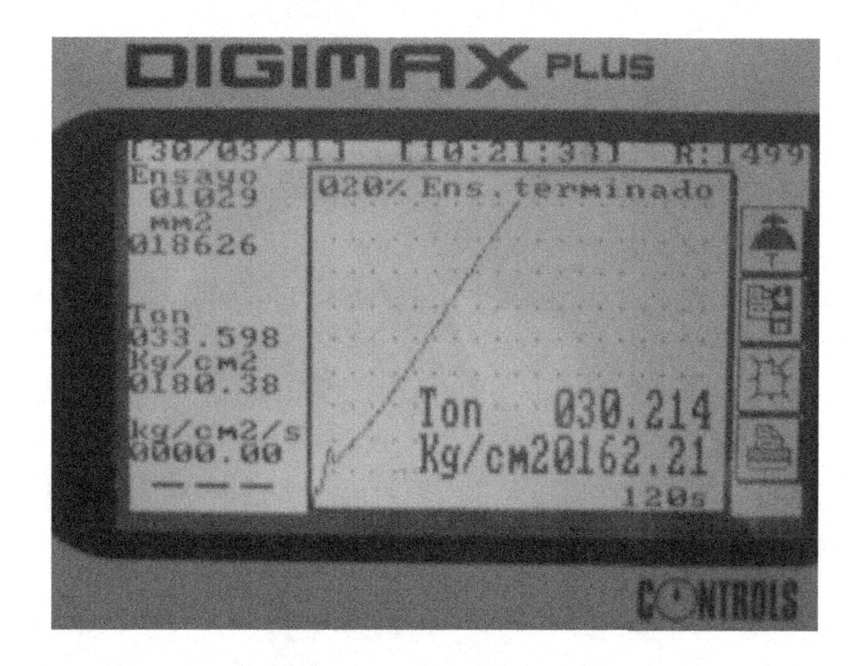
DIGIMAX PLUS
30/03/11
10:21:33
R:1499
Ensayo
01029
mm2
018626
Ton
033.598
Kg/cm2
0180.38
kg/cm2/s
0000.00
020% Ens. terminado
Ton 030.214
Kg/cm20162.21
120s
CONTROLS

CILINDRO 2

PESO: (14,052 kg)

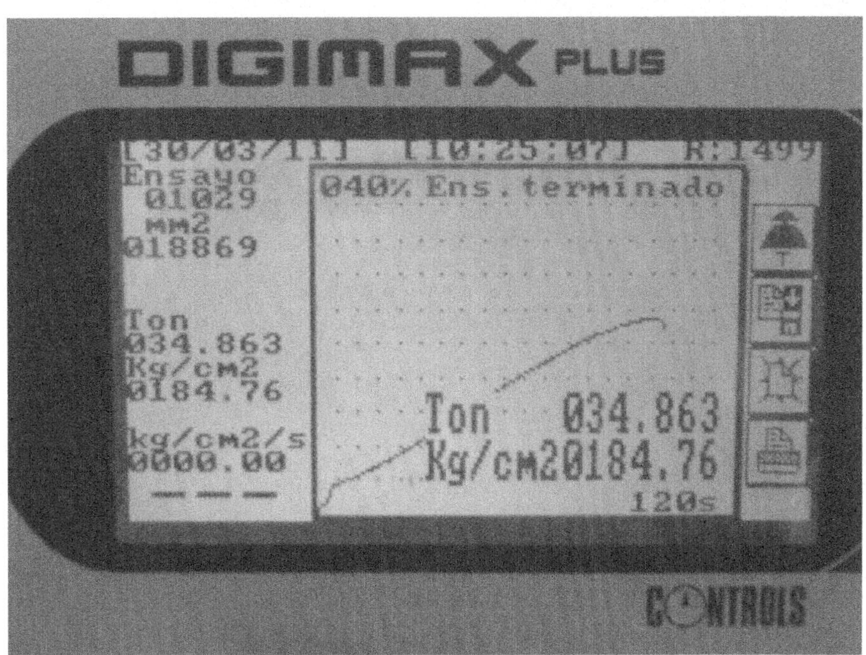

PROCEDIMIENTO QUE SE LLEVO A CABO PARA REVENTAR LOS CILINDROS No. 3 Y 4 (28 DIAS) EN LA EMPRESA (PREFABRICADOS OMEGA)

1. Se toma el azufre, se pone a fuego lento hasta que derrita totalmente.

2. Se vierte en el molde, se cabecean ambos extremos del cilindro con azufre.

(Cabecear es poner una capa de azufre derretido en las dos caras del cilindro para que se tenga una superficie plana y ortogonal respecto a su eje. El objetivo del cabeceo es para que la carga aplicada se transmita uniformemente en toda la superficie del cilindro.).

3. Se coloca en la máquina de compresión y se obtienen los datos de su ruptura

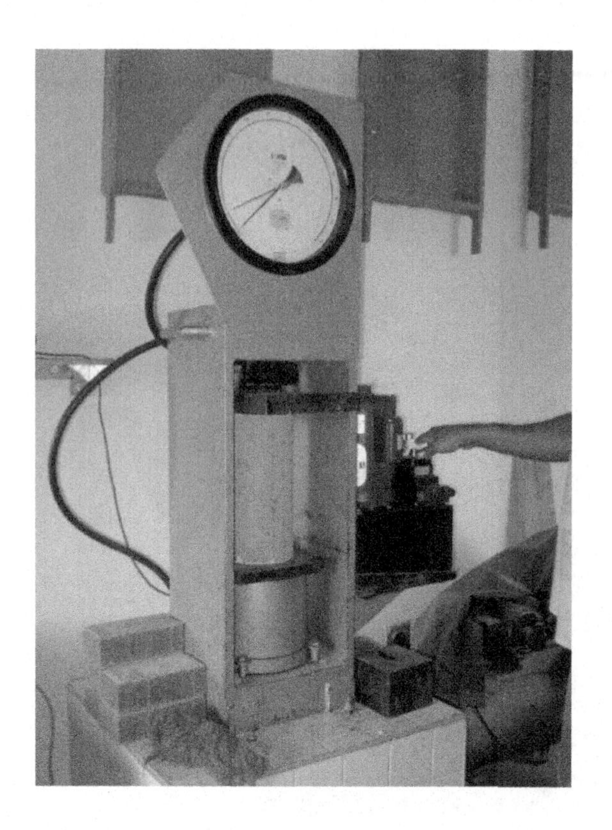

CILINDRO 3

PESO: (14,15 kg)

CILINDRO 4

PESO: (13,7 kg)

RESULTADOS DE ENSAYO DE COMPRESIÓN DE CILINDROS

Resistencia Esperada: 3500 PSI - 245 kg/cm^2

Fecha Vaciado: marzo 23 de 2011

Cemento: Diamante

Ensayo a los 7 días:

- Cilindro No. 1:

  Ø: 15,40 cm

  Resistencia: 162 kg/cm^2

  Tipo de Falla: Cónica o Dividida (hendidura)

- Cilindro No. 2:

  Ø: 15,50 cm

  Resistencia: 185 kg/cm^2

  Tipo de Falla: Transversal o Corte

Ensayo a los 28 días:

- Cilindro No. 3:

  Ø: 15,50 cm

  Resistencia: 253 kg/cm^2

  Tipo de Falla: Columnar

- Cilindro No. 4:

  Ø: 15,45 cm

  Resistencia: 267 kg/cm^2

  Tipo de Falla: Columnar

Promedio de cilindros a los 28 dias:

$162\ kg/cm^2 + 185\ kg/cm^2 = 347\ kg/cm^2 \div 2 = 173{,}5\ kg/cm^2$

(la Resistencia dio más de 50 % de la resistencia requerida)

Promedio de cilindros a los 28 dias:

$253\ kg/cm^2 + 267\ kg/cm^2 = 520\ kg/cm^2 \div 2 = 260\ kg/cm^2$

INTERPRETACION DE LOS RESULTADOS

Según la Norma NSR-10, y comparada con los resultados de laboratorio donde se concluyó que e promedio de las resistencias de los cilindros dio superior a f´c. (resistencia requerida)

C5.6.3.3 — El nivel de resistencia de una clase determinada de concreto se considera satisfactorio s cumple con los dos requisitos siguientes:

(a) Cada promedio aritmético de tres ensayos de resistencia consecutivos (véase C.5.6.2.4) es igual o superior a f´c.

(b) Ningún resultado del ensayo de resistencia (véase C.5.6.2.4) es menor que f´c por más de 3.5 MPa cuando f´c es 35 MPa o menor; o por más de 0.10f´c cuando f´c es mayor a 35 MPa.

C.5.6.2.4 — Un ensayo de resistencia debe ser el promedio de las resistencias de al menos dos probetas de 150 por 300 mm o de al menos tres probetas de 100 por 200 mm, preparadas de la misma muestra de concreto y ensayadas a 28 días o a la edad de ensayo establecida para la determinación de **f´c**.

Anexo 1. Tipos de falla	
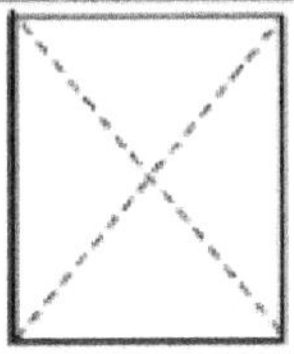	Cónica Se presenta cuando se logra una carga de compresión bien aplicada sobre un espécimen de prueba bien preparado.
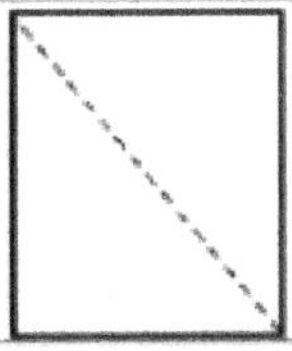	Transversal Se presenta comúnmente cuando las caras de aplicación de carga se encuentran en el límite de desviación (perpendicularidad) tolerada especificada de 0,5°
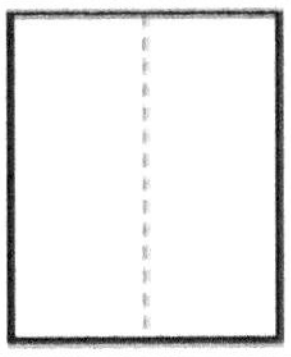	Columnar Se presenta en especímenes que presentan una superficie de carga convexa y deficiencia del material de refrentado; también por concavidad del plato de cabeceo o convexidad en una de las placas de carga.
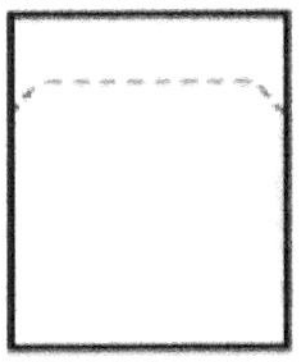	Se presenta en especímenes que presentan una cara de aplicación de carga cóncava y por deficiencias del material de refrentado; también por concavidad de una de las placas de carga.
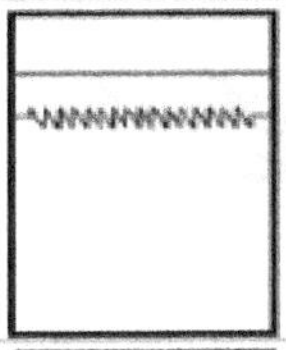	Se presenta cuando se producen concentraciones de esfuerzos en puntos sobresalientes de las caras de aplicación de carga y deficiencia del material de refrentado, por rugosidades en el plato en el que se realiza el refrentado o por deformación de la placa de carga.
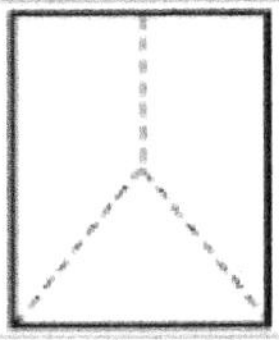	Cónica y dividida Se presenta en especímenes que presentan una cara de aplicación de carga convexa y deficiencias del material de refrentado o rugosidades del plato de refrentado.
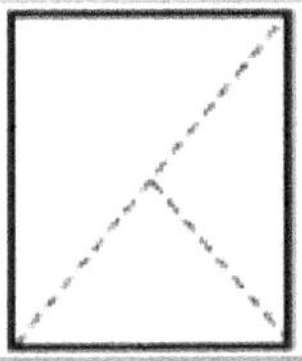	Cónica y transversal Se presenta cuando las caras de aplicación de carga del espécimen están ligeramente fuera de las tolerancias de paralelismo establecidas o por ligeras desviaciones en el centrado del espécimen con respecto al eje de carga de la máquina.

PROCEDIMIENTO ASENTAMIENTO

1. Se humedece el molde y se coloca sobre una superficie plana.

2. Se sujeta firmemente con los pies y se llena con la muestra de concreto en tres capas, cada una de ellas de un tercio del volumen del molde, aproximadamente.

3. Cada capa debe compactarse con 25 golpes de la varilla, distribuidos uniformemente.

4. Después que la última capa ha sido compactada se debe alisar a ras la superficie del concreto. Inmediatamente el molde es retirado, alzándolo cuidadosamente, sin que haya un movimiento lateral.

5. El ensayo de asentamiento se debe comenzar a más tardar 5 minutos después de tomada la muestra.

6. se mide el asentamiento, determinando la diferencia entre la altura del molde y la altura medida sobre el centro original de la base superior.

PROCEDIMIENTO

1. Se determinan las propiedades de los agregados en el laboratorio, tales como: granulometría (de donde se obtiene el tamaño máximo de agregado grueso y el módulo de finura de la arena), pesos unitarios (sueltos y compactos).
2. Se calcula el contenido aproximado de materia orgánica presente en la arena.
3. Se determina el desgaste de la grava usando la Máquina de los Ángeles.
4. Con todos los datos obtenidos en el laboratorio se procede a realizar los cálculos correspondientes al método de García Balado y así lograr la dosificación para la realización de la mezcla de concreto de 3500 PSI.

CALCULOS Y RESULTADOS

- Granulometría de 10Kg de grava y 500g de arena:

Granulometría 10Kg Grava TOTAL

Tamiz #	Peso Tamiz (g)	Peso Tamiz + Suelo (g)	Suelo Retenido (g)	% Retenido	Retenido Acumulado	% Pasa
1 1/2	3500	3500	0	0,0%	0,0%	100,0%
1	3250	4850	1600	15,7%	15,7%	84,3%
3/4	3500	5950	2450	24,0%	39,7%	60,3%
1/2	3250	5650	2400	23,5%	63,2%	36,8%
3/8	3250	4600	1350	13,2%	76,5%	23,5%
Fondo	1500	3900	2400	23,5%	100,0%	0,0%
Total			*10200*	-	-	-

Granulometría 500g de arena

Tamiz #	Peso Tamiz (g)	Peso Tamiz + Suelo (g)	Suelo Retenido (g)	% Retenido	Retenido Acumulado	% Pasa
1/2	650	650	0	0,0%	0,0%	100,0%
3/8	644	662,8	18,8	3,8%	3,8%	96,2%
4	669	679,3	10,3	2,1%	5,8%	94,2%
8	603	638,8	35,8	7,2%	13,0%	87,0%
10	546	563,3	17,3	3,5%	16,5%	83,5%
16	565	630,2	65,2	13,1%	29,5%	70,5%
30	516	646,7	130,7	26,2%	55,7%	44,3%
50	506	615,3	109,3	21,9%	77,6%	22,4%
100	508	589,5	81,5	16,3%	94,0%	6,0%
200	472	495,6	23,6	4,7%	98,7%	1,3%
Fondo	399	405,5	6,5	1,3%	100,0%	0,0%
Total			*499*	-	296,0%	-

- Curvas Granulométricas: Con los datos obtenidos de granulometría, se realiza la curva granulométrica de la arena y así determinar qué tan gradada se encuentra y tener una idea del % de finos presente comparando con curvas establecidas por la norma, donde la curva granulométrica obtenida o gran parte de esta debe encontrarse entre las dos curvas estándar.

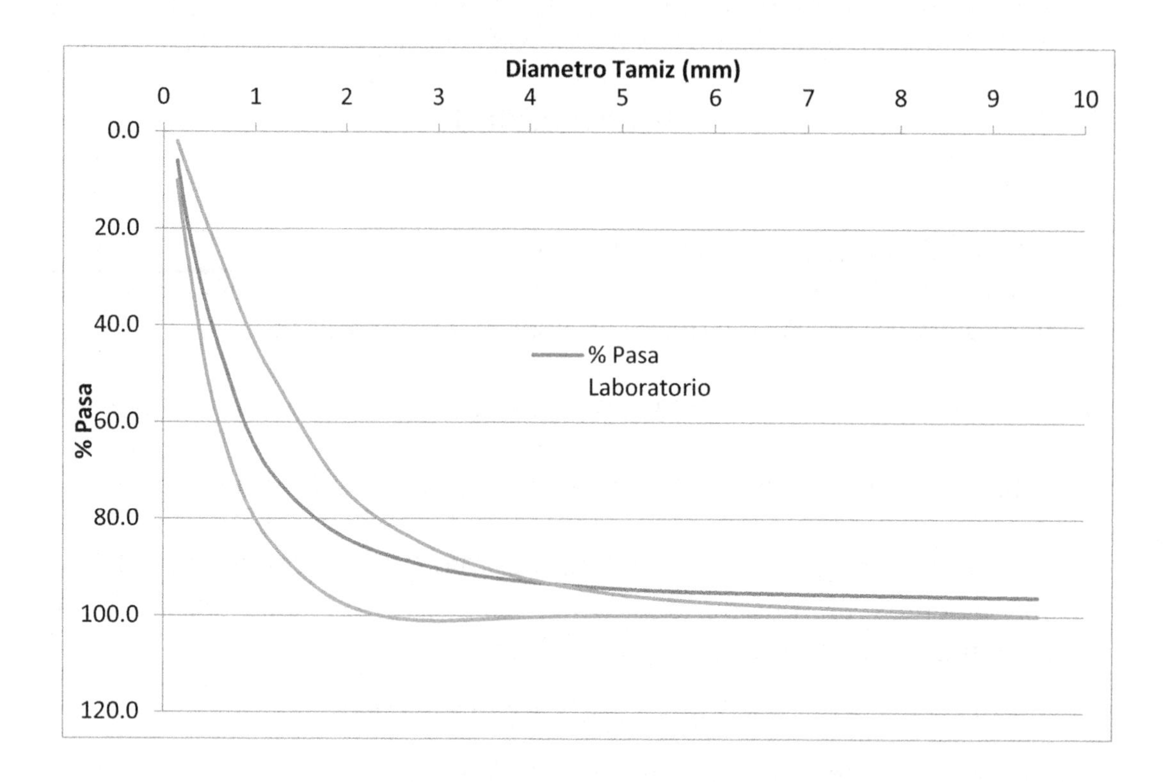

Granulometría comparada con la NORMA				
TAMIZ	mm	% Pasa Laboratorio	% PASA NORMA	
3/8	9,5	96,2	100	100
4	4,75	94,2	95	100
8	2,36	87,0	80	100
16	1,18	70,5	50	85
30	0,6	44,3	25	60
50	0,3	22,4	10	30
100	0,15	6,0	2	10

Se observa que gran parte de la curva obtenida se encuentra comprendida entre los valores especificados en la norma, la arena tiene un valor aceptable para realizar el diseño de mezcla.

- <u>Módulo de finura de la arena:</u>

Es un valor que permite estimar el grosor, o finura de un material, permitiendo tener una idea de conjunto del tamaño promedio del agregado. Se define como:

$$MóduloDeFinura : \frac{\Sigma\% \, RetenidoAcumulado}{100}$$

Nota: En Σ %Retenido acumulado se desprecian los tamices: ½, 1, fondo.

$$MóduloDeFinura : \frac{296{,}0\%}{100}$$

$$MóduloDeFinura = 2{,}96$$

Se obtuvo un módulo de finura de **2.96**, valor que corresponde al rango de arenas gruesas:

Módulo de finura entre: 2,5 – 3,5.

- <u>Pesos Unitarios:</u> Se define como la relación existente entre el peso de una muestra de agregado compuesta de varias partículas y el volumen que ocupan estas partículas agrupadas dentro de un recipiente de volumen conocido.

    - Peso Unitario Suelto: Es la relación que existe entre el peso del agregado suelto o en estado normal de reposo y el volumen que ocupa. El peso unitario suelto es menor que el peso unitario compactado porque el material en estado suelto ocupa un volumen mayor.

    - Peso Unitario Compactado: Se define como el peso compactado del material, dividido entre el volumen que ocupa. El valor de la masa unitaria compactada se utiliza para determinar el volumen absoluto de agregado grueso en las mezclas de concreto.

PESOS UNITARIOS ARENA (g/cm^3)

Datos:

Proctor		
	Peso (g)	7500
	Altura (cm)	17
	Diámetro (cm)	15
	Volumen (cm^3)	3004,15

Peso Unitario Suelto

Prueba	Proctor + Suelo (g)	Proctor (g)	Suelo (g)	Promedio (g)
1	12200	7500	4700	4700
2	12150	7500	4650	
3	12250	7500	4750	

P.U. Suelto (g/cm^3)	1,565
P.U. Suelto (Kg/m^3)	1565

Peso Unitario Compactado

Prueba	Proctor + Suelo (g)	Proctor (g)	Suelo (g)	Promedio (g)
1	12550	7500	5050	5050
2	12550	7500	5050	
3	12550	7500	5050	

P.U. Compactado (g/cm^3)	1,681
P.U. Compactado (Kg/m^3)	1681

PESOS UNITARIOS GRAVA (g/cm^3)

Datos:

Proctor	Peso (g)	7686
	Altura (cm)	16,5
	Diámetro (cm)	15,25
	Volumen (cm^3)	3013,79

Peso Unitario Suelto

Prueba	Proctor + Suelo (g)	Proctor (g)	Suelo (g)	Promedio (g)
1	12610	7686	4924	4998
2	12675	7686	4989	
3	12768	7686	5082	

P.U. Suelto (g/cm^3)	1,658
P.U. Suelto (Kg/m^3)	1658

Peso Unitario Compactado

Prueba	Proctor + Suelo (g)	Proctor (g)	Suelo (g)	Promedio (g)
1	13076	7686	5390	5443
2	13119	7686	5433	

3	13193	7686	5507

P.U. Compactado (g/cm^3)	1,806
P.U. Compactado (Kg/m^3)	**1806**

- Tamaño Máximo: Se usarán para los cálculos un tamaño máximo de 2" (50mm).

- Contenido de materia orgánica: La materia orgánica que se presenta en los agregados, especialmente en los finos consiste en tejidos animales y vegetales que están principalmente formados por carbono, nitrógeno y agua. Este tipo de materia al encontrarse en grandes cantidades afectan en forma nociva las propiedades del concreto, como la resistencia, durabilidad y buen desarrollo del proceso de fraguado. Por esto es muy importante controlar el posible contenido de materia orgánica de una arena ya que ésta es perjudicial para el concreto.

Procedimiento:

- Con el tamiza #4, se tamizan 400g de arena.

- Se llenan 130ml de arena en cada frasco del laboratorio (3 frascos).

- Después a cada frasco se le agrega Hidróxido de Sodio hasta llegar a los 160ml, agitamos el frasco con cuidado sin que llegue a tocar la tapa del frasco, ya que la arena quedaría adherida al interior de la tapa.

- Después de agitar, se le adicionar nuevamente Hidróxido de Sodio hasta llegar a los 200ml y dejamos los frascos en reposo por un (1) día.

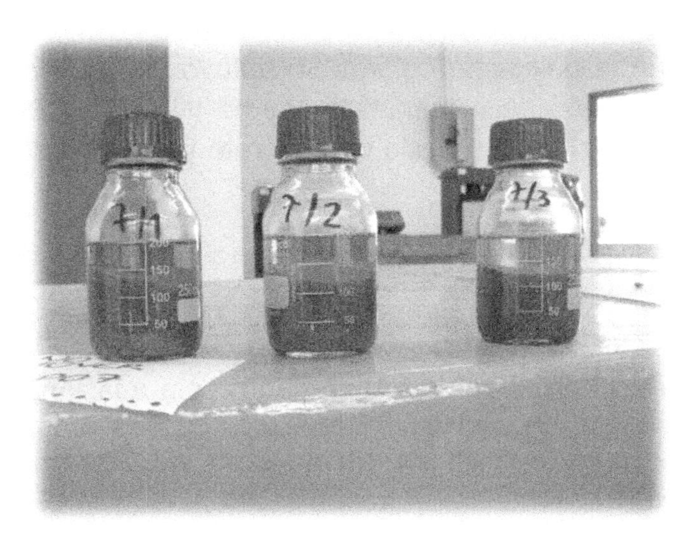

- Se compara el color que esta sobre la muestra de arena con la Placa Orgánica para saber si es apta para su uso en concretos hidráulicos o no.

Interpretación de resultados:

Se considera que la arena contiene componentes orgánicos posiblemente perjudiciales, cuando el color que sobrenada por encima de la muestra de ensayo es más oscuro que el color normal de referencia o que la placa orgánica No.3 (color normal estándar No. 11). En tal caso, es aconsejable efectuar ensayo complementarios, antes de aprobar la arena para su utilización en la fabricación de concretos hidráulicos.

<u>**Resultado:**</u> Según la paleta de colores se obtuvo un color correspondiente a la placa orgánica #2, esto quiere decir, según la Norma INV E-212-07, que tiene un contenido orgánico NO perjudicial en la mezcla de concreto ya que no sobrepasó el color estándar #3.

- <u>Resistencia al desgaste de los agregados gruesos</u>

El índice de desgaste de un árido (o agregado) está relacionado con su resistencia a la abrasión por medios mecánicos y también con la capacidad resistente de los hormi-gones fabricados con él; siendo de gran importancia en áridos empleados en hormigones de pavimentos.

La norma **I.N.V. E – 218** establece el procedimiento para determinar la resistencia al desgaste de las gravas de tamaños menores de 37.5 mm (1½") por medio de la máquina de los ángeles; dicho método consiste en analizar granulométricamente un árido grueso mediante la preparación de una parte de muestra, que se somete a abrasión en la máquina de Los Ángeles, y a la cual previamente se le ha determinado su granulometría; y expresar la pérdida de material o desgaste como el porcentaje de pérdida de masa de la muestra con respecto a su masa inicial.

Procedimiento:

- Se saca una muestra de grava de 5Kg (P1) para la prueba de la siguiente manera:

5Kg Grava	
Tamiz #	Suelo Retenido (g)
1	1250
3/4	1250
1/2	1250
3/8	1250
Total	*5000*

- Se lleva la muestra a la máquina de los ángeles con 12 esferas de carga abrasiva.

- Cuando la maquina complete 500 revoluciones se saca el material, y se lava usando el tamiz #4.
- Se lleva el material lavado al horno y se deja 24 horas.
- Se saca el material y se pesa (P2).

Cálculos: Para esta prueba se usará la siguiente formula y así determinar el % de desgaste de la grava.

$$\%Desgaste = \frac{P_1 - P_2}{P_1} * 100$$

Donde:

P_1 = Masa de la muestra seca antes del ensayo.

P_2 = Masa de la muestra seca después del ensayo. (Previo lavado).

Datos obtenidos:

	Suelo + Bandeja (g)	Bandeja (g)		
Masa de la muestra seca antes del ensayo	5192	117	*5075*	**P1**
Masa de la muestra seca después del ensayo	4100	117	*3983*	**P2**

$$\%Desgaste = \frac{5075 - 3983}{5075} * 100$$

$$\%Desgaste = 21{,}52\%$$

Se obtuvo un % de desgaste de 21,52, un valor **aceptable**, ya que el valor máximo permitido, según la norma de ensayo INV E-218-07 para este ensayo es del 40%.

FICHAS TÉCNICAS AGREGADOS

ENSAYO	Grava	Arena
Peso Unitario Suelo (kg/m^3)	1658	1565
Peso Unitario Compacto (kg/m^3)	1806	1681
% Desgaste	21,52%	-
Modulo Finura	-	2,96
Contenido Materia Orgánica (Placa obtenida)	-	# 2
Tamaño Máximo	2"	

Resultados de los ensayos realizados a cada agregado, estos datos (la mayoría) se usarán en el método de diseño de mezcla García Balado.

Cemento:
Cemento Portland Tipo I - Argos

Agua:
La norma recomienda el uso de agua potable sin necesidad de pruebas previas.

DISEÑO MEZCLA
MÉTODO GARCÍA BALADÓ

Usando el método de García Balado se pretende realizar una mezcla de concreto de f`c 3500PSI (24,5MPa), usando los siguientes datos obtenidos en el laboratorio:

- Modulo finura arena: 2,96.
- Tamaño máximo: 2" (50 mm).
- Peso Unitario Apisonado Grava: 1806 Kg/m^3.
- Pesos Unitarios:
  - Cemento: 3150 Kg/m^3
  - Arena: 2540 Kg/m^3
  - Grava: 2635 Kg/m^3 : PSS
  - Agua: 1000 Kg/m^3

1. Resistencia de diseño:

Resistencia Especificada σ (Mpa)	Resistencia de diseño de la mezcla σ (MPa)
≤ 20	σ + 7,0
20 - 25	σ + 8,5
> 25	σ + 10,0

Resistencia especificada: 24,5 MPa (entre 20 y 25 MPa).

σ + 8,5 ⟶ 24,5 MPa + 8,5 Mpa = 33 MPa

Resistencia de diseño: 33MPa.

2. Determinación A/C (Relación Agua/Cemento):

$$33MPa = 33000000\frac{N}{m^2} * \frac{m^2}{10000cm^2} = 3300\frac{N}{cm^2} = \frac{3300\frac{Kg \cdot m}{s^2 \cdot cm^2}}{9,81\frac{m}{s^2}} = 336,39\frac{Kg}{cm^2}$$

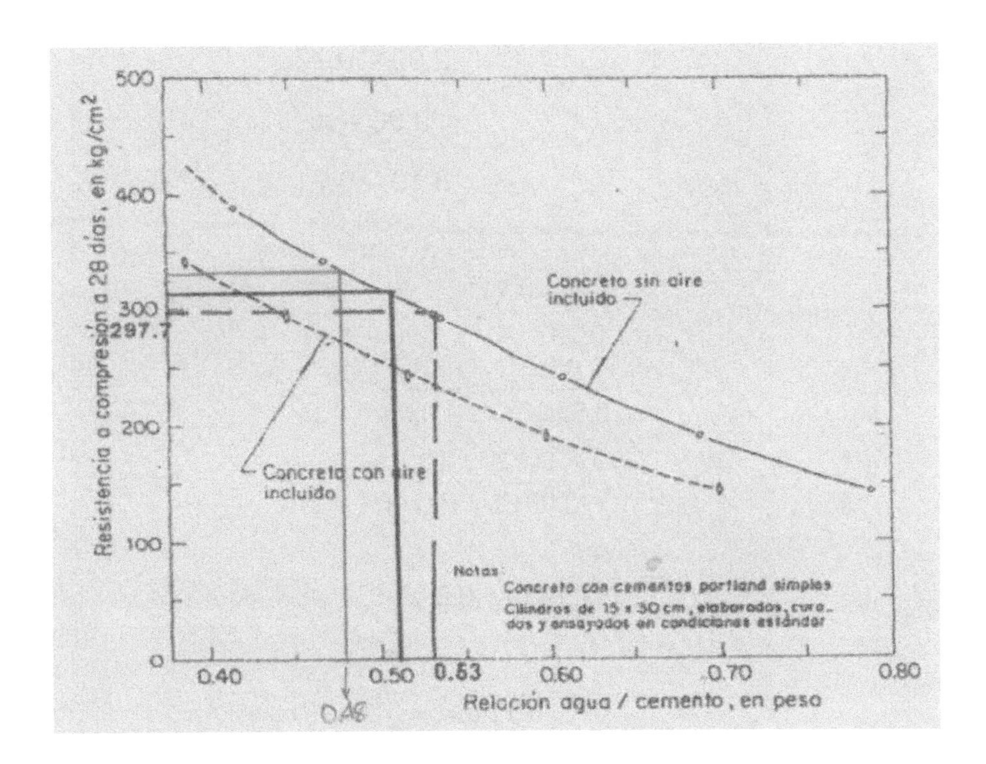

Según la gráfica: Para un concreto sin aire incluido con una resistencia 336,39Kg/cm2 a los 28 días se requiere una relación **A/C=0,48.**

3. Determinación de volúmenes:

3.1 Volumen Agregado Grueso (Grava)

Se emplea la ecuación: $V = bo * \frac{b}{bo}$

3.1.1 Determinar $\frac{b}{bo}$

Tamaño máximo del agregado grueso (mm)	Módulo De Finura De La Arena							
	2,00	2,20	2,40	2,60	2,75	**2,90**	**3,10**	3,30
	Valores de b/bo (m^3)							
9,5 (3/8")	0,51	0,52	0,50	0,47	0,45	0,42	0,39	0,35
12,7 (1/2")	0,61	0,59	0,57	0,55	0,53	0,51	0,48	0,45
19 (3/4")	0,65	0,67	0,65	0,63	0,63	0,60	0,58	0,55
25 (1")	0,72	0,70	0,69	0,67	0,66	0,65	0,63	0,60
39 (1 1/2")	0,78	0,75	0,73	0,72	0,71	0,70	0,68	0,66
51 (2")	0,79	0,78	0,76	0,75	0,74	**0,73**	**0,71**	0,70
76 (3")	0,82	0,81	0,80	0,79	0,78	0,77	0,76	0,75
152 (6")	0,87	0,87	0,86	0,83	0,81	0,83	0,82	0,81

Para un módulo de finura de arena: 2,96 y un tamaño máximo de 2" se tiene un b/bo entre 0,73 y 0,71, interpolamos:

2,90 – 0,73

2,96 – X

3,10 – 0,71

$$\frac{0,73-0,71}{0,73-X}=\frac{2,90-3,10}{2,90-2,96}$$
$$\frac{0,02}{0,73-X}=\frac{-0,2}{-0,06}$$

$$-0,0012=-0,146+0,2X$$

$$0,1448=0,2X$$

$$X=0,724m^3=\frac{b}{bo}$$

3.1.2 Determinar bo

$$bo=\frac{P.U.A*(1+A.A.G)}{P.S.S.}$$

$$bo=\frac{1806\frac{Kg}{m^3}\cdot(1+0,0129)}{2635\frac{Kg}{m^3}}$$

$$bo=0,6942$$

3.1.3 Volumen Agregado Grueso

$$V=bo\cdot\frac{b}{bo}$$

$$V = 0{,}6942 \cdot 0{,}724m^3$$

$$V_{Grava} = 0{,}503m^3 = Para 1m^3 DeConcreto$$

3.2 Volumen Agua (Contenido de agua):

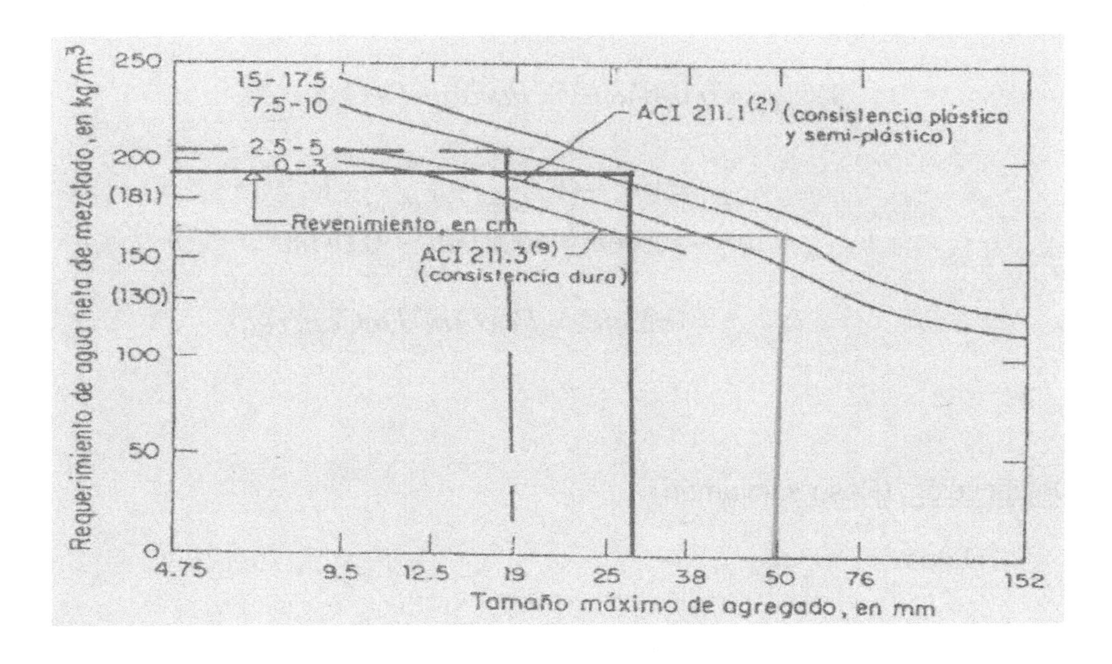

Para un tamaño máximo de 50mm y un asentamiento de 7.5cm, se requieren 161Kg/m^3 de agua (161Kg de agua por 1 m^3 de concreto).

$$d = \frac{m}{v} \rightarrow v = \frac{m}{d} = \frac{161Kg}{1000\frac{Kg}{m^3}}$$

$$V_{agua} = 0{,}161m^3 = Para 1m^3 DeConcreto$$

$$d = \frac{m}{v} \rightarrow v = \frac{m}{d} = \frac{335{,}42Kg}{3150\frac{Kg}{m^3}}$$

3.3 Volumen Cemento:

$$\frac{A}{C} = 0{,}48 \rightarrow C = \frac{A}{0{,}48} \rightarrow C = \frac{161Kg}{0{,}48} \rightarrow C = 335{,}42Kg$$

3.4 Volumen Agregado Fino

$$1m^3 Concreto = V_{Cemento} + V_{Arena} + V_{Grava} + V_{Agua}$$

$$V_{cemento} = 0{,}10648m^3 = Para 1m^3 DeConcreto$$

$$V_{Arena} = 1m^3 - (V_{Cemento} + V_{Grava} + V_{Agua})$$
$$V_{Arena} = 1m^3 - 0{,}106m^3 - 0{,}503m^3 - 0{,}161m^3$$

$$V_{Arena} = 0{,}23m^3 = Para 1m^3 DeConcreto$$

4. <u>Dosificación</u>: (Peso y volumen)

Datos:

	Volumen (m3)	Densidad (Kg/m3)	**Masa (Kg) (Masa=Densidad*Volumen)**
Cemento	**0,10648**	3150	**335,42**
Arena	**0,23**	2540	**584,2**
Grava	**0,503**	2635	**1325,4**
Agua	**0,161 TOTAL**	1000	**2406,02 Kg 161**

	C (C/C)	A (A/C)	G (G/C)
Dosificación	1	1,74	3,95

Dosificación mezcla para 1m^3 de concreto de 3500PSI:

1 : 1,74 : 3,95

PROCEDIMIENTO

GRANULOMETRIA

1. Pesar la bandeja en vacío.
2. Seleccionar un grupo de tamices de tamaños adecuados según la muestra y ordenarlos de mayor a menor
3. Verter la muestra en los tamices y colocar la tapa para evitar salpicaduras.
4. Montar en la tamizadora mecánica y encender durante 10 minutos.
5. Retirar los tamices de la máquina y separarlos junto con su respectiva cantidad de material retenido.
6. Depositar cada fracción del material en la bandeja previamente pesada. Si el material no sale por gravedad será necesario ayudarse con la brocha para garantizar que se extrae la totalidad del material.
7. Pesar la bandeja nuevamente con el material retenido en cada tamiz, para determinar la cantidad de material retenido en cada fase.

PESO UNITARIO

Peso Unitario Suelto:

1. Determinar el volumen del molde.
2. Pesar el molde vacío.
3. Llenar el molde a ras, con ayuda de la regla para enrazar.
4. Pesar nuevamente el molde con el material.

Peso Unitario Compactado:

1. Determinar el volumen del molde.
2. Pesar el molde vacío.
3. Llenar el recipiente en tres capaz. Cada una de las cuales se golpea 25 veces en diferentes sitios con la varilla de 5/8" con precaución ya que el molde no es el diseñado para esta prueba.
4. Pesar nuevamente el molde con el material.

CONTENIDO DE MATERIA ORGANICA EN ARENAS

1. Colocar la arena en la botella hasta completar un volumen aproximado de 130 ml.
2. Añadir la solución de hidróxido de sodio, hasta que el volumen total de arena y líquido, después de agitado, sea aproximadamente igual a 200 ml.
3. tapar el frasco, se agita vigorosamente y se deja reposar por 24 horas.
4. comparar su color con el del líquido que sobrenada en la solución que contiene la arena. La comparación de colores se hace poniendo juntos, el frasco que contiene la muestra y la escala de vidrios de referencia; mirando a través de ellos contra un fondo claro. el resultado del ensayo es el número de la placa orgánica cuyo color sea más parecido al del color del líquido que sobrenada la muestra.

RESISTENCIA AL DESGASTE DE AGREGADOS GRUESOS MEDIANTE LA MAQUINA DE LOS ANGELES

1. La muestra de agregado pétreo debe estar libre de polvo e impurezas, siendo recomendable lavarla y secarla en el horno
2. Según la granulometría determinar: el número de esferas abrasivas y la masa total a desgastar en el ensayo.
3. Comprobar que el tambor este lo suficientemente limpio para proceder con el ensayo.
4. Colocar la muestra y la carga abrasiva correspondiente en la máquina de los Ángeles
5. hacer girar el cilindro a una velocidad comprendida entre 188 y 208 rad/minuto (30 y 33r.p.m.) hasta completar 500 revoluciones, equivalentes a 10 min en la máquina de los Ángeles, apareciendo 600 en el TIMER.
6. Una vez terminadas las 500 revoluciones correspondientes a 10 minutos, es necesario descargar el cilindro, extrayendo el material.
7. Lavar el material, secarlo en el horno y pesarlo.

MÉTODO ACI DISEÑO DE MEZCLAS EN CONCRETO

DOSIFICACION METODO ACI

1. Seleccionar el asentamiento según el tipo de estructura y condiciones de colocación.

CONSISTENCIA	ASENTAMIENTO cm	Tipo de estructura y condiciones de colocación
Muy seca	0-2.0	Pilotes o vigas prefabricadas de alta resistencia, con vibradores de formaletas
Seca	2.0-3.5	Pavimentos con maquina terminadora vibratoria
Semi-seca	3.5-5.0	Pavimentos con vibradores normales. Fundaciones de concreto simple

		Construcciones en masas voluminosas
		Losas medianamente reforzadas con vibración
Media	5.0-10.0	Pavimentos compactados a mano
		Losas medianamente reforzadas con mediana compactación, columnas, vigas, fundaciones y muros reforzados con vibración
Húmeda	10.0-15.0	Revestimiento de túneles, secciones con demasiado refuerzo
		Trabajos donde la colocación sea difícil
		Normalmente no es apropiado para compactarlo con demasiada vibración

2. Seleccionar el tamaño máximo del agregado

Se fijará de acuerdo a las secciones de la estructura y el material disponible, siendo conveniente elegir el más grande por razones económicas, usando una menor cantidad de cemento y agua, evitando mayor contracción por secado.

3. Estimación del contenido de agua (A) en litros

ASENTAMIENTO cm	10mm	13mm	20mm	25mm	40mm	50mm	75mm
3 a 5	205	200	185	180	160	155	145
8 a 10	225	215	200	195	175	170	180
15 a 18	240	230	210	105	185	180	170

Contenido de aire %	3	2.5	2	1.5	1	0.5	0.3

4. Determinación de la resistencia de diseño

Se puede usar:

$fcr = f'c + 70$ si $f'c < 210$ kg/cm^2
$fcr = f'c + 85$ si $210 \leq f'c < 350$ kg/cm^2
$f'cr = f'c + 100$ si $f'c \geq 350$ kg/cm^2

O también dependiendo del coeficiente de variación, el cual es el grado de control de calidad y clasificándose de mayor a menor, siendo menor el de mejor grado.

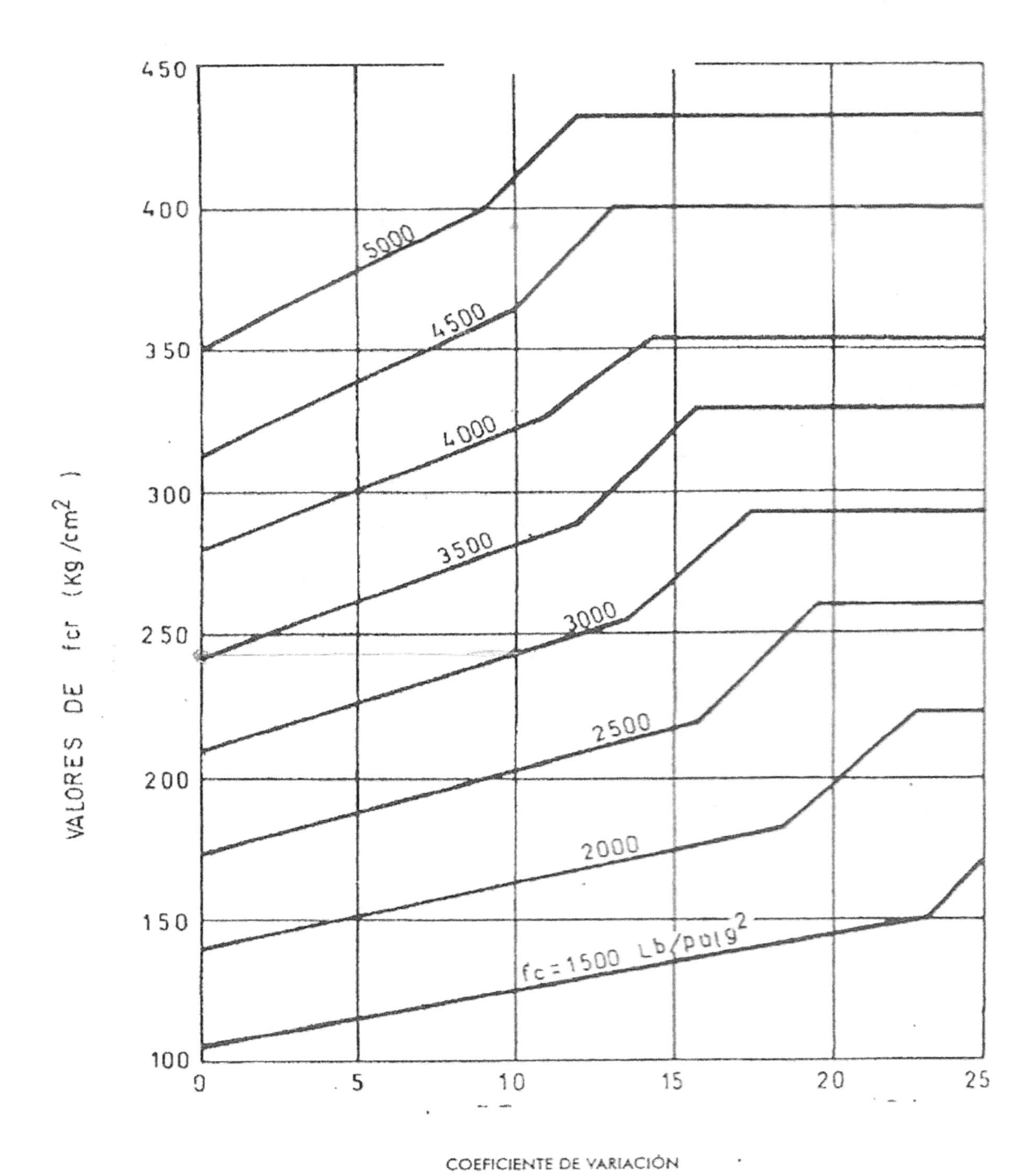

COEFICIENTE DE VARIACIÓN

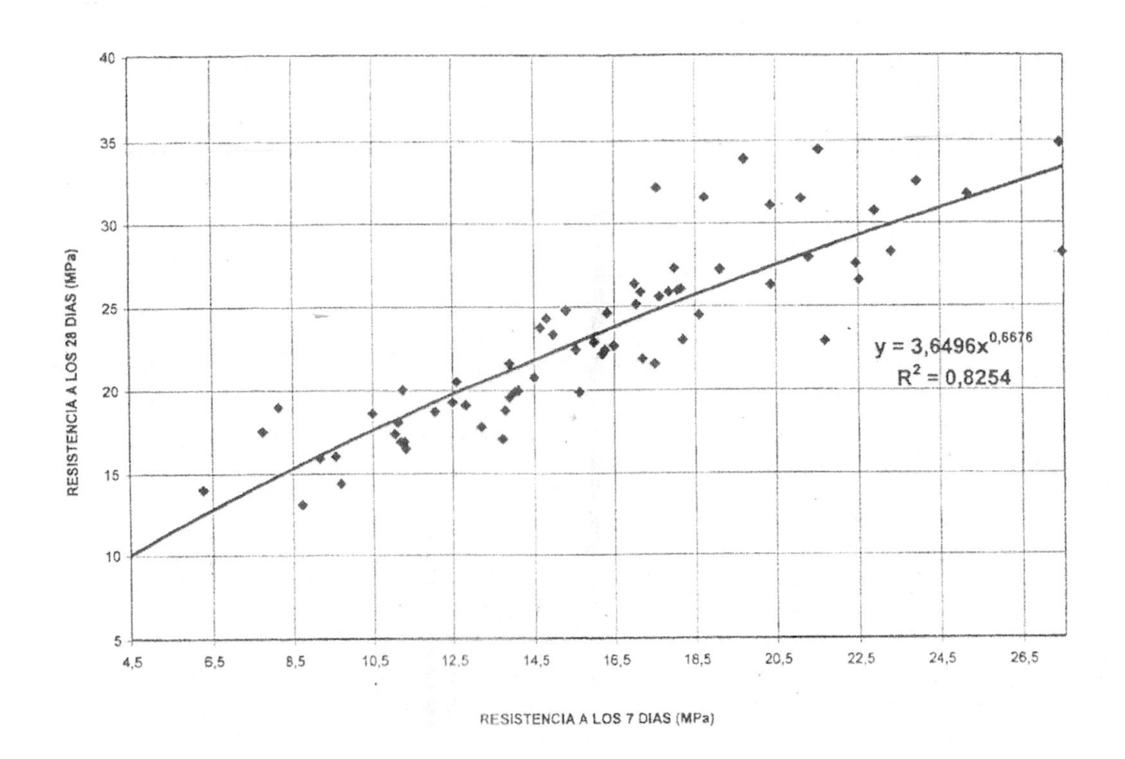
y = 3,6496x^0,6676
R² = 0,8254
RESISTENCIA A LOS 28 DIAS (MPa)
RESISTENCIA A LOS 7 DIAS (MPa)

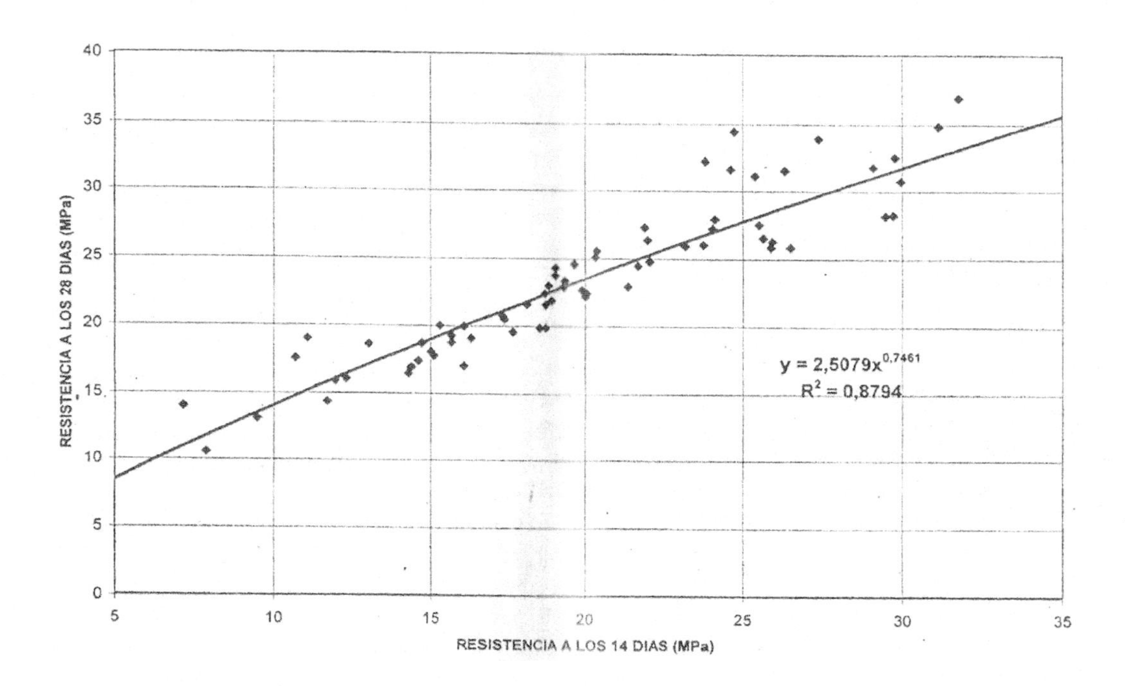
y = 2,5079x^0,7461
R² = 0,8794
RESISTENCIA A LOS 28 DIAS (MPa)
RESISTENCIA A LOS 14 DIAS (MPa)

5. Selección de la relación agua – cemento (A/C)

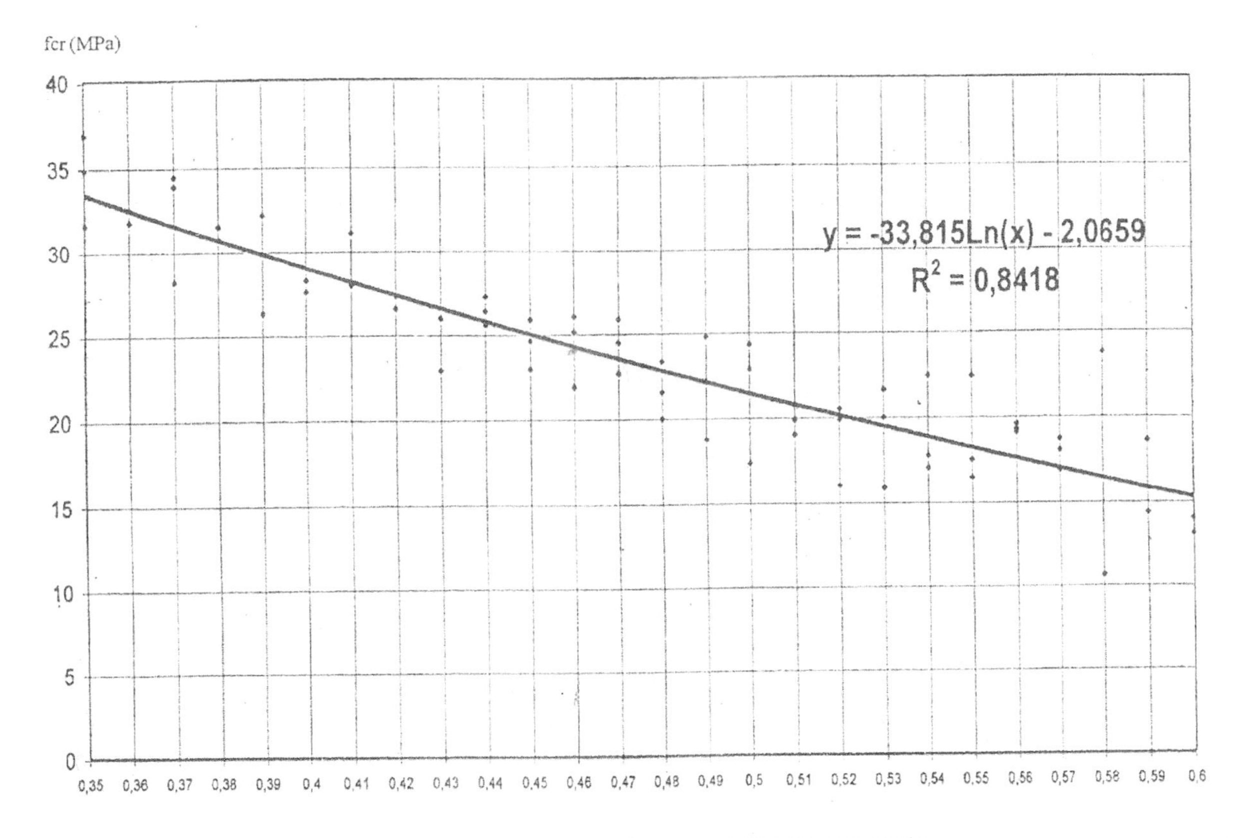

GRÁFICA N° 6. CURVA ACTUAL DE LA RELACIÓN A/C VS. RESISTENCIA A LOS 28 DÍAS

6. Calculo del contenido de cemento

$$C = \frac{A}{A/C}$$

7. Estimación del contenido de agregado grueso

b=R*m

Dónde:

b=Volumen absoluto de agregado grueso por volumen unitario de concreto

R=Volumen seco y compactado del agregado grueso por volumen unitario de concreto (tabla siguiente)

m=Relación entre peso unitario compactado y el peso específico saturado y superficialmente seco del agregado grueso

TAMANO MAX DEL AGREGADO mm	VOLUMEN DE AGREGADO GRUESO SECO Y COMPACTADO CON VARILLA, POR VOLUMEN UNITARIO DE CONCRETO PARA DIFERENTES MODULOS DE FINURA DE LA ARENA					
	2.40	2.60	2.80	3.00	3.10	4.00
10	0.50	0.48	0.46	0.44	0.39	-
13	0.59	0.57	0.55	0.53	0.48	0.30
20	0.66	0.64	0.62	0.60	0.58	0.44
25	0.71	0.69	0.67	0.65	0.63	0.51
40	0.75	0.73	0.71	0.69	0.68	0.59
50	0.78	0.76	0.74	0.72	0.71	0.64
75	0.81	0.79	0.77	0.75	0.76	0.69
150	0.87	0.85	0.83	0.81	0.82	0.76

8. Estimación del contenido del agregado fino

$$P = \frac{CK - 1.000b}{CK} x\ 100$$

$$K = \frac{1.000}{C} - 0.318 - A/C$$

Dónde:

P%=Porcentaje de finos

C=Contenido de cemento ya calculado

A/C=Relación agua cemento ya calculada

3.18 g/cm3=Peso específico del cemento, aquí se debe emplear el del cemento que se usa si se conoce su valor

9. Calculo de las proporciones iniciales

Se usa "A/C; 1; F; g" donde uno es la unidad de cemento.

$$f = \frac{K.p}{100} \text{ x } Gf (\text{proporción de agregado fino})$$

$$g = \frac{K(100 - p)}{100} \text{ x } Gg \text{ (proporción de agregado grueso)}$$

Dónde:

Gf =Peso específico saturado y superficialmente seco de la arena

Gg=Peso específico saturado y superficialmente seco de la grava

10. Ajuste por humedad de los agregados

Debe tenerse en cuenta la humedad de los agregados para pesarlos correctamente. Generalmente, los agregados están húmedos y a su peso seco debe sumarse el peso del agua que contienen, tanto absorbida como superficial.

El agua que va a agregarse a la mezcla debe reducirse o aumentarse en una cantidad igual a la humedad libre de los agregados, esto es, la humedad natural menos absorción.

w libre= W natural - absorción

Para poder hacer esto, es necesario tomar la humedad natural de los agregados antes de hacer la mezcla de prueba, para lo cual deben pesarse húmedos, dejarlos en el horno hasta que tengan peso constante y pesarlos secos.

11. Proporciones de la mezcla

Una vez obtenida la corrección por humedad, se procede a calcular las proporciones de la mezcla tomando en cuenta el número y dimensiones de los cilindros de prueba que se fabricaran.

PREPARACION DE LA MEZCLA PARA CILINDROS

1. Según los porcentajes de material obtenidos en el método de dosificación (Método ACI), se preparan las cantidades especificadas en bandejas, siendo pesadas en la balanza para comprobar la cantidad.

2. Regar arena en una capa de 10 a 15 cm de espesor

3. Cubrir totalmente con cemento

4. Mesclar con la pala hasta obtener uniformidad

5. Agregar triturado o cascajo uniformemente

6. Amontonar la mescla en forma de cono y luego hacer un hueco en el centro al cual se le agrega agua

7. Mesclar nuevamente, pasándola de un sitio a otro con la pala hasta obtener uniformidad

8. Medir el asentamiento utilizando el **cono de Abrahams, haciéndolo de a tres capas, cada una de 25 golpes con la varilla compactadora.**

9. Obtenido el asentamiento requerido, se tiene hasta una hora para llenar los moldes.

10. Una vez llenados los moldes, se dejan secar durante 1 día.

11. Transcurrido un día, Retirar los cilindros de los moldes y ponerlos en un ambiente húmedo.

CALCULOS

GRANULOMETRIA

1. Valores de análisis de tamizado para la porción retenida en el tamiz de 2 mm (No.10).

Diámetro nominal de las partículas más grandes		Masa mínima aproximado de la porción (g)
(mm)	(in)	
9.5	3/8"	500
19.0	3/4"	1000
25.4	1"	2000
38.1	1 ½"	3000
50.8	2"	4000
76.2	3"	5000

2. Porcentaje Retenido

% Retenido= $Retenido\ (m)/Total(m)$

3. Porcentaje retenido acumulado

%Retenido acumulado= $\sum \%\mathrm{Retenido}$

4. Porcentaje pasa acumulado

%pasa acumulado=$100\% - \%Retenido\ acumulado$

5. Módulo de finura

MF=$\sum \%Retenido\ acumulado\ /\ 100$

PESO UNITARIO

1. Masa unitaria mínima

dMin=$(m2 - m1)/V$

2. Masa unitaria máxima

dMax=$(m4 - m3)/V$

3. Densidad relativa

Dr(%)=$dMax\ (d - dMin)\ /\ d(dMax - \ dMin)$

4. Indice de masa unitaria o índice de densidad

Id (%)=$d - dmin\ /\ dmax - dmin$

RESISTENCIA AL DESGASTE DE AGREGADOS GRUESOS
MEDIANTE LA MAQUINA DE LOS ANGELES

1. Determinar el % de desgaste, siendo el coeficiente de desgaste de Los Ángeles calculándolo como:

$$\%\,Desgaste = \frac{P_1 - P_2}{P_1} \times 100$$

Dónde:

P1 = masa de la muestra seca antes del ensayo, y

P2 = masa de la muestra seca después del ensayo, previo lavado

RESULTADOS

1. GRANULOMETRIA

Grava

0,112	molde (kg)
0,612	molde +arena (kg)

tamices	retenido(kg)	% retenido	% retenido acumulado	% pasa acumulado
3/8	0.133	21.11%	21.11%	78.89%
#4	0.019	3.02%	24.13%	75.87%
#8	0.069	10.95%	35.08%	64.92%
#10	0.019	3.02%	38.10%	61.90%
#16	0.049	7.78%	45.87%	54.13%
#30	0.184	29.21%	75.08%	24.92%
#50	0.082	13.02%	88.10%	11.90%
#100	0.065	10.32%	98.41%	1.59%
#200	0.008	1.27%	99.68%	0.32%
tapa	0.002	0.32%	100.00%	0.00%
Total (kg)	0.63			

módulo de finura	1.81%

Arena

0.368	coca(kg)
10.368	coca + muestra (kg)

tamices	retenido(kg)	% retenido	% retenido acumulado	% pasa acumulado
1 1/2	0	0.00%	0.00%	100.00%
1	0.094	4.66%	4.66%	95.34%
3/4	0.179	8.94%	13.60%	86.40%
1/2	0.244	12.08%	25.67%	74.33%
3/8	0.226	11.19%	36.86%	63.14%
fondo	1.275	63.14%	100.00%	0.00%
Total (kg)	2.018			

módulo de finura	6.26%

2. PESO UNITARIO

Grava

molde (kg)	7.36
D (cm)	14.98
h (cm)	16.60
v (cm3)	2925.64

suelto	
1 molde + arena (kg)	12.68
2 molde + arena (kg)	12.61
3 molde + arena (kg)	12.64
Promedio (kg)	12.64

compactado	
1 molde + arena (kg)	13.12
2 molde + arena (kg)	13.11
3 molde + arena (kg)	13.28
Promedio (kg)	13.17

unitario suelto (g/cm3)	1.80
unitario compactado (g/cm3)	1.84

Arena

molde (kg)	7.35
D (cm)	14.95
h (cm)	16.30
v (cm3)	2861.28

suelto	
1 molde + arena (kg)	12.14
2 molde + arena (kg)	12.32
3 molde + arena (kg)	12.38
Promedio (kg)	12.28

compactado	
1 molde + arena (kg)	12.59
2 molde + arena (kg)	12.55
3 molde + arena (kg)	12.65
Promedio (kg)	12.59

unitario suelto (g/cm3)	1.72
unitario compactado (g/cm3)	1.83

3. CONTENIDO DE MATERIA ORGANICA EN ARENAS

Espectro luminoso	No 1	bajo contenido de material orgánica

4. RESISTENCIA AL DESGASTE DE AGREGADOS GRUESOS MEDIANTE LA MAQUINA DE LOS ANGELES

w inicial (kg)	5
w final (kg)	3.81

% desgaste	23.84%

5. DOSIFICACION METODO ACI

Asentamiento (cm)	7.5
Resistencia (psi)	3000

PROPIEDADES	ARENA	GRAVA
módulo de finura	6.26%	1.81%
tamaño Max (in)		1
P.E. (kg/m3) Establecido	2717	2920
absorción	2%	0.60%
P.U. suelto (kg/m3)	1721	1805
P.U. compactado (kg/m3)	1833	1841

Asentamiento (cm)	7.50
Tamaño máximo del agregado (in)	1
Contenido agua (l/m3)	195
Resistencia de diseño fcr (psi)	3485
Relación agua cemento A/C	0.46
Contenido de cemento (kg/m3)	423.91
Volumen agregado grueso por volumen concreto	0.32
Porcentaje de finos	52.02%
Proporción de agregado fino	2.23
Proporción de agregado grueso	2.21

Molde	D (in)	6		
	h (in)	12		
Material	Proporciones		Peso (kg)	Volumen(m3)
	Peso	Volumen		
cemento	1	1	10.15	0.0047
arena	2.23	1.69	22.68	0.0079
grava	2.21	1.59	22.48	0.0075
agua	0.46	0.46	4.67	0.0021
total	5.91	4.74	60	0.0222

FUENTES DE ERROR

1. No se determinó la densidad relativa ni el índice de densidad de la arena y grava, debido a que no se determinó el peso unitario en estado natural de estos elementos.

2.

2. No se hizo el Ajuste por humedad de los agregados, debido a que no se determinó la humedad en estado natural de estos elementos.

Tipo de falla (ensayo resistencia a la compresión)

Cilindro 1 = falla transversal

Cilindro 2 = falla transversal

Cilindro 3 = falla transversal

Cilindro 4 = falla convexa

DISEÑO DE MEZCLA MÉTODO DE FERET 3500 PSI

MATERIALES Y EQUIPO UTILIZADO

Materiales

- Arena
- Cemento
- Gravilla de rio
- Agua

Equipo

- Balanza
- Molde Proctor
- Tamices
- Bandeja
- Brocha
- Tamizadora mecánica
- Varilla
- Regla para enrazar
- Espátula
- Máquina de los ángeles

Granulometría

Peso Total Grava (g):	10000

TAMIZ	Peso	%	% Retenido	% Pasa

	Retenido (g)	Retenido	Acumulado	
1 ½	0	0	0	100
1	1127	11,27	11,27	88,73
¾	3233	32,33	43,6	56,4
½	2366	23,66	67,26	32,74
⅜	1160	11,6	78,86	21,14
Fondo	2114	21,14	100	0

Peso Total Arena (g): 500

TAMIZ	Peso Retenido (g)	% Retenido	% Retenido Acumulado	% Pasa
⅜	0	0	0	100
No. 4	2,1	0,42	0,42	99,58
No. 8	11,2	2,24	2,66	97,34
No. 10	6,5	1,3	3,96	96,04
No. 16	48	9,6	13,56	86,44
No. 30	226	45,2	58,76	41,24
No. 50	162	32,4	91,16	8,84
No. 100	36,2	7,24	98,4	1,6
No. 200	7	1,4	99,8	0,2
Fondo	1	0,2	100	0

Módulo de finura Arena

$$\text{Mod. Finura} = \Sigma\%\text{Retenido Acumulado}/100$$

$$\text{Mod. Finura} = 2.69$$

Granulometría comparada con la norma

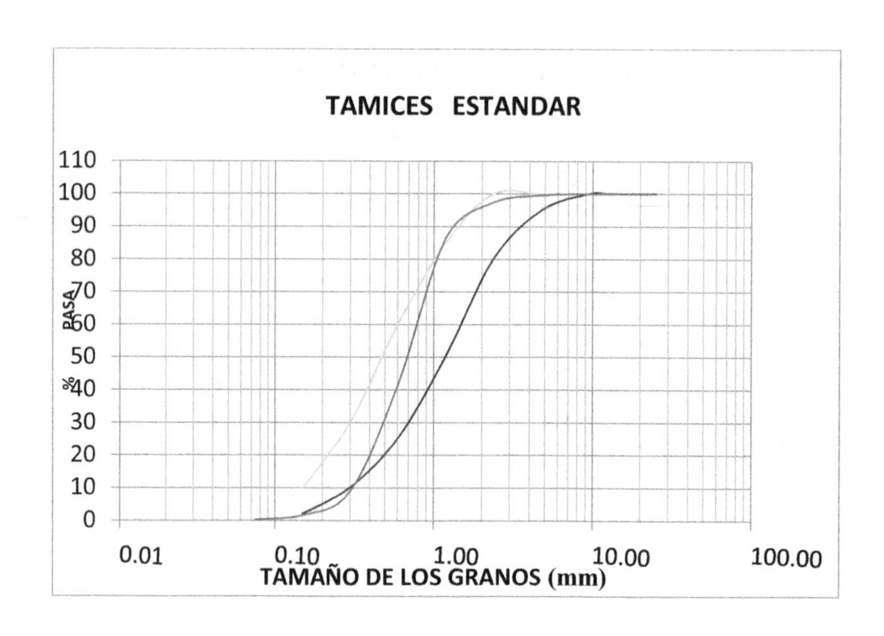

Peso Unitario Grava

Peso Material Suelto 1 = 4.99Kg

Peso Material Suelto 2 = 4.93Kg

Peso Material Suelto 3 = 5.168Kg

Peso Promedio = 5.03Kg

Volumen = 0.0029m^3

Peso Unitario Suelto = 5.03Kg/0.0029m^3

Peso Unitario Suelto = 1734.48 Kg/m^3

Peso Material Compactado 1 = 5.281Kg

Peso Material Compactado 2 = 5.353Kg

Peso Material Compactado 3 = 5.138Kg

Peso Promedio = 5.26Kg

Volumen = 0.0029m^3

Peso Unitario Compactado = 5.26Kg/0.0029m^3

Peso Unitario compactado = 1813.79 Kg/m^3

Peso Unitario Arena

Peso Material Suelto 1 = 4.547Kg

Peso Material Suelto 2 = 4.585Kg

Peso Material Suelto 3 = 4.503Kg

Peso Promedio = 4.545Kg

Volumen = 0.0029m^3

Peso Unitario Suelto = 4.545Kg/0.0029m^3

Peso Unitario Suelto = 1567.24 Kg/m^3

Peso Material Compactado 1 = 4.944Kg

Peso Material Compactado 2 = 5.005Kg

Peso Material Compactado 3 = 5.049Kg

Peso Promedio = 4.99Kg

Volumen = 0.0029m^3

Peso Unitario Compactado = 4.99Kg/0.0029m^3

Peso Unitario compactado = 1723.91 Kg/m^3

Porcentaje de desgaste de la grava

$$\% \text{ De desgaste} = \frac{\text{P1} - \text{P2}}{\text{P1}} * 100$$

$$\% \text{ De desgaste} = \frac{5009\text{g} - 3960\text{g}}{5009\text{g}} * 100$$

$$\% \textbf{ De desgaste} = \mathbf{20.93}\%$$

Determinación del porcentaje de arena y grava

%Arena = 45%

%Grava = 55%

Ver Anexo No 1

Determinación del peso específico aparente de arena y grava

Peso específico arena * %Arena

Peso específico grava * %Grava

Suma: Peso específico arena y grava asociado a los porcentajes

$2.44 g/cm^3 * 0.45 = 1.098 g/cm^3$

$2.39 g/cm^3 * 0.55 = 1.3145 g/cm^3$

Suma: $2.4125 g/cm^3$

Determinación del agua y cemento

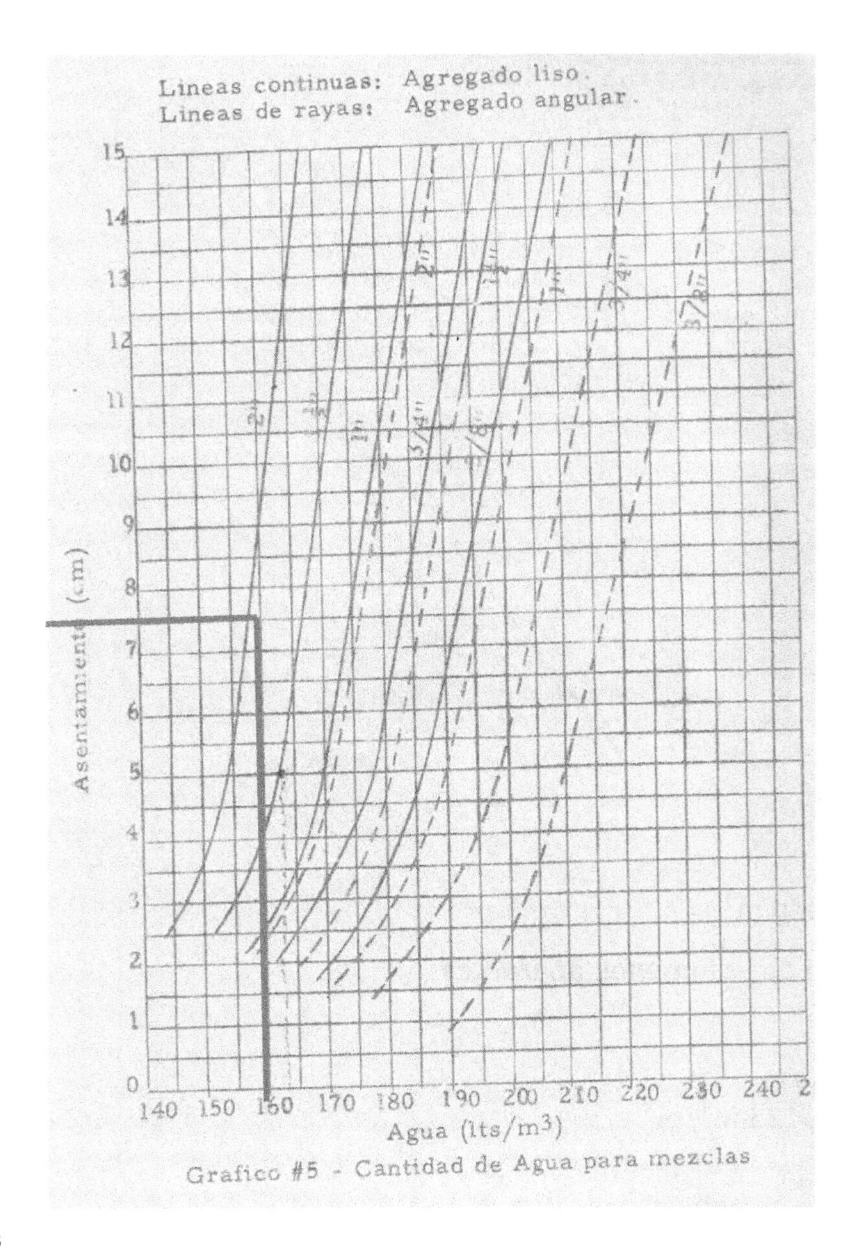

Grafico #5 - Cantidad de Agua para mezclas

Agua = 175Lt/m^3

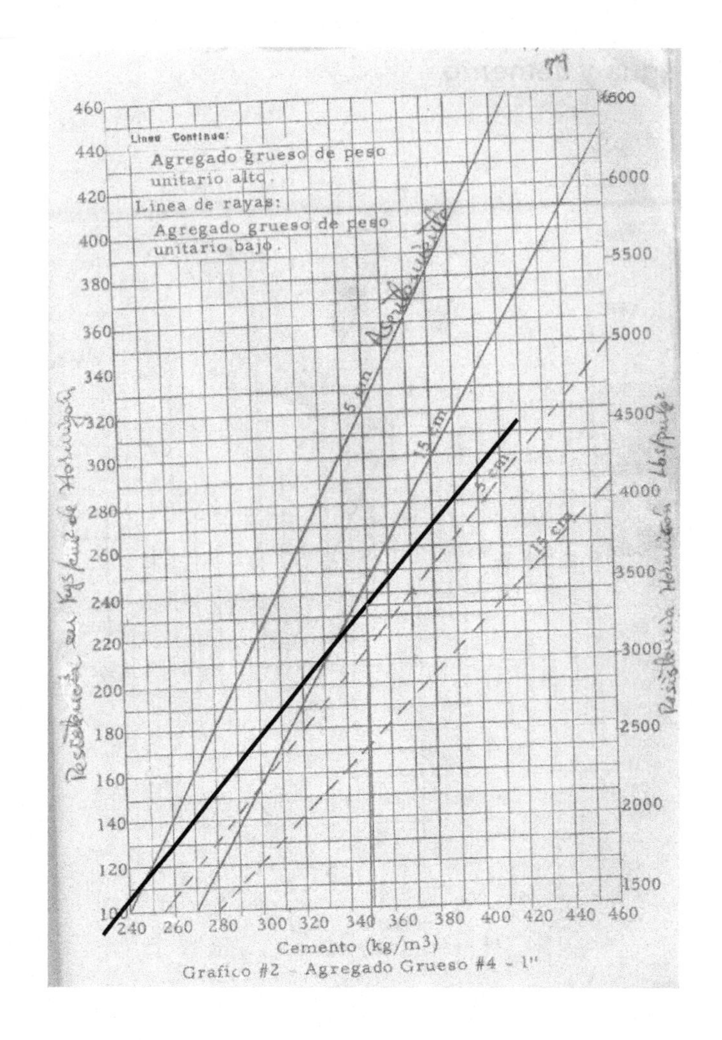

Cemento = 388Kg/m^3

Determinación de volúmenes aparentes

Cemento:

$$\frac{388\ \mathrm{Kg/m^3}}{3150} = \mathbf{0.123\ m^3/m^3}$$

Agua:

$$\frac{175\ \mathrm{Kg/m^3}}{1000} = \mathbf{0.175 m^3/m^3}$$

Suma: Y= 0.298 m^3/m^3

Z= 1-Y

Z= 0.702 m^3/m^3

Peso de la arena y la gravilla= Z* Peso arena y grava asociado a los porcentajes

Peso arena y gravilla = 0.702 m^3/m^3 * 2412.5 Kg/m^3

Peso arena y gravilla = 1693.575 Kg/m^3

Proporciones en peso:

Cemento: **388Kg/m^3**

Arena: 1693.575Kg/m^3 * 0.45 = **762.11Kg/m^3**

Grava: 1693.575Kg/m^3 * 0.55 = **931.47Kg/m^3**

Proporciones

Cemento: 388Kg/m^3 / 388Kg/m^3 = 1

Arena: 762.11Kg/m^3 / 388Kg/m^3 = 1.96

Grava: 931.47Kg/m^3 / 388Kg/m^3 = 2.40

Proporción

1: 1.96: 2.40

Cantidad en Kilos

Cemento: 25Kg

Arena 49.11 Kg

Grava 60.02 Kg

Agua 11,28 Lt

RESULTADOS DE LABORATORIO

Comparación de resultados

- Resistencia a los siete días

Ensayo No 1 = 2062.38 PSI

Ensayo No 2 = 2446.41 PSI

- Resistencia a los veintiocho días

Ensayo No 1 = 3527.39PSI

Ensayo No 2 = 3541.61PSI

Ver Anexos No2 y No3

- Resistencia según INVIAS

Resistencia mínima a los 28 días para concreto simple

140Kg/cm^2 = 1991.27PSI

ACCIONES CORRECTIVAS Y PREVENTIVAS CUANDO EL CONCRETO NO OBTIENE LA RESISTENCIA ESPERADA.

Si se confirma la posibilidad que el concreto sea de baja resistencia y los cálculos indican que la capacidad de soportar las cargas se redujo significativamente, deben permitirse ensayos de núcleos extraídos de la zona en cuestión de acuerdo con NTC 3658 (ASTM C42M). En esos casos deben tomarse tres núcleos por cada resultado del ensayo de resistencia (véase C.5.6.2.4) que sea menor que los valores señalados en C.5.6.3.3 (b).

C.5.6.2.4 — Un ensayo de resistencia debe ser el promedio de las resistencias de al menos dos probetas de 150 por 300 mm o de al menos tres probetas de 100 por 200 mm, preparadas de la misma muestra de concreto y ensayadas a 28 días o a la edad de ensayo establecida para la determinación de **fc** .

C.5.6.3.3 — El nivel de resistencia de una clase determinada de concreto se considera satisfactorio si cumple con los dos requisitos siguientes:
(a) Cada promedio aritmético de tres ensayos de resistencia consecutivos (véase C.5.6.2.4) es igual o superior a **fc**.

C.5.6.4.4 — Los procedimientos para proteger y curar el concreto deben mejorarse cuando la resistencia de cilindros curados en la obra, a la edad de ensayo establecida para determinar **fc**, sea inferior al 85 por ciento de la resistencia de cilindros compañeros curados en laboratorio. La limitación del 85 por ciento no se aplica cuando la resistencia de aquellos que fueron curados en la obra exceda a **fc** en más de 3.5 MPa.

C.5.3.3 — La documentación que justifique que la dosificación propuesta para el concreto produzca una resistencia promedio a la compresión igual o mayor que la resistencia promedio a la compresión requerida, **fc** **r**, (véase C.5.3.2), debe consistir en un registro de ensayos de resistencia en obra, en varios registros de ensayos de resistencia, o en mezclas de prueba.

C.5.2.1 — La dosificación de los materiales para el concreto debe establecerse para lograr:
(a) Trabajabilidad y consistencia que permitan colocar fácilmente el concreto dentro del encofrado y alrededor del refuerzo bajo las condiciones de colocación que vayan a emplearse, sin segregación ni exudación excesiva.
(b) Resistencia a exposiciones especiales, según lo requerido en el Capítulo C.4.
(c) Conformidad con los requisitos del ensayo de resistencia de C.5.6.

CONCLUSIONES

• Para un diseño de mezcla exitoso se debe tener los materiales idóneos para el requerimiento de la obra, esto se logra haciendo algunos estudios con antelación a cada agregado.

• Hay diferencia de métodos para el diseño de mezclas lo que se debe buscar el mejor para los requerimientos (economía y resistencia), con cualquiera se puede llegar al resultado depende de las variables que tengamos hay métodos más acordes a nuestras necesidades.

• Las normas colombianas dictamina algunas pautas de resistencia de mezclas de concreto esto nos ayuda a empapamos de lo que es necesario para cumplir dichas normas.

FUENTES BIBLIOGRAFICAS MÉTODOS

NORMA SISMO RESISTENTE COLOMBIANA, TITULO C: Materiales, COLOMBIA: 2010. C-41, C-43.

NORMA SISMO RESISTENTE COLOMBIANA, TITULO C: requisitos de durabilidad, COLOMBIA: 2010. C-61, C-69.

NORMA SISMO RESISTENTE COLOMBIANA, TITULO C: Calidad del concreto, mezclado y colocación, COLOMBIA: 2010. C-72, C-79.

INV E – 123 – 07 (ANÁLISIS GRANULOMÉTRICO DE SUELOS POR TAMIZADO)

INV E – 212 – 07 (CONTENIDO APROXIMADO DE MATERIA ORGÁNICA EN ARENAS USADAS EN LA PREPARACIÓN DE MORTEROS O CONCRETOS)

INV E – 213 – 07 (ANÁLISIS GRANULOMÉTRICO DE AGREGADOS GRUESOS Y FINOS)

INV E – 218 – 07 (RESISTENCIA AL DESGASTE DE LOS AGREGADOS DE TAMAÑOS MENORES DE 37.5 mm (1½") POR MEDIO DE LA MAQUINA DE LOS ANGELES)

INV E – 404 – 07 (ASENTAMIENTO DEL CONCRETO (SLUMP))

INV E – 228 – 07 (CORRECCIÓN POR PARTÍCULAS GRUESAS EN EL ENSAYO DE COMPACTACIÓN DE SUELOS)

INV E – 222 – 07 (GRAVEDAD ESPECÍFICA Y ABSORCIÓN DE AGREGADOS FINOS)

INV E – 223 – 07 (PESO ESPECÍFICO Y ABSORCIÓN DE AGREGADOS GRUESOS)

INV E – 410 – 07 (RESISTENCIA A LA COMPRESIÓN DE CILINDROS DE CONCRETO)

http://es.scribd.com/doc/14471810/Ensayo-de-resistencia-a-la-compresion-en-cilindros-normales-de-concreto

http://www.nrmca.org/aboutconcrete/cips/CIP35es.pdf

II. COSTOS HORARIOS OPERACIÓN
III. MAQUINARIA Y EQUIPO

Fuente:

Universidad Nacional de Colombia Seccional de Medellín Facultad de Minas (1974). Nociones sobre presupuesto para movimiento de tierra

Autor: Héctor Otálvaro Osorio

Centro de publicaciones Universidad Nacional de Colombia.

1985

CAMBIOS DE ACEITES Y DE FILTROS DEL EQUIPO

MES________________

MÁQUINA______________

	1	2	3	4	5	6	7	8	9	10	11	12	13	14	15	16	17	18	19	20	21	22	23	24	25	26	27	28	29	30	31	Hora metro
Aceite motror																																
Aceite Transmision																																
Aceite Hidraulico																																
Aceite del Clutch																																
Filtros de aceites																																
Filtro del ACPM																																
Filtro del Hidraulico																																

Costos de capital

Concepto del valor medio del equipo (Maquinaria) (No incluye Normas NIIF).

Definición: es el promedio aritmético de los valores dados por los libros al principio de cada año.

Cálculo del valor medio del equipo: Vi= Valor inicial.

N= Número de años de vida económica útil (debe ser número entero)

O = Valor de salvamento

Valor de la máquina al iniciarse el primer año: Vi

Valor de la máquina al iniciarse el 2do año: $Vi - \frac{Vi}{N} + \frac{S}{N}$

Valor de la máquina al iniciarse el 3er año: $Vi - \frac{2Vi}{N} + \frac{2S}{N}$

Valor de la máquina al iniciarse el N año: $Vi - (N-1)\frac{Vi}{N} + (N-1)\frac{S}{N}$

Fuente: Conferencias Universidad Nacional de Colombia
Seccional Medellín: Nociones sobre presupuestos para movimiento de tierra, Autor: Héctor Otálvaro Osorio. Temas de clase en Universidad Nacional Seccional Manizales.

Suma de los valores dados por los libros al

principio de cada año = NVi – Vi (1+2+3+ (N + 1)) + $\frac{S}{N}$ (1+2+3+ ...(N - 1)) (1)

Pero: (1+2+3+...(N-1) es una progresión aritmética donde:

Diferencia común: r=1

Primer término: a=1

Numero de términos: n=N-1

Suma de términos (1+2+3... (N-1)) = $\frac{n}{2}$ (2a + (n-1) r)

Reemplazando valores: (1+2+3+... (N+1)) = ($\frac{N-1}{2}$) (2 x 1 + (N-2) x 1) = ($\frac{N-1}{2}$) N 2

Llevando este valor a (1), se tiene:

Suma de valores dados por los libros al principio de cada año=

$$NVi - \frac{Vi}{N}\,\frac{(N-1)\,N}{2} + \frac{S}{N}\,\frac{(N-1)\,N}{2}$$

Suma de valores dados por los libros al principio de cada año =

$$\frac{2NVi - Nvi + Vi + NS - S}{2} = \frac{Vi(N + 1) + S(N - 1)}{2}$$

Entonces:

Valor medio anual: = $\frac{\text{Suma de valores en N años}}{\text{N años}} = \frac{Vi\,(N + 1) + S\,(N - 1)}{2N}$

Valor medio Horario (año de 2.000 horas) = $\frac{Vi\,(N + 1) + S\,(N - 1)}{2N \times 2.000}$

Generalmente S = 0.10Vi, o sea S 0 10% Vi

Para S = 0 (Sistema americano), se tiene:

Valor medio horario: $\frac{Vi\,(N + 1)}{2N \times 2.000}$

<u>Intereses, Impuestos y Seguros</u>

Intereses: Cualquier inversión de capital debe tener necesariamente los intereses que ese capital en capacidad de devengar. A pesar que el contratista pague su equipo de contado, deben cargársele los intereses de esta inversión ya que esos dineros bien pudo haberlos invertido en otros negocios cualesquiera que produzcan dividendos a su dueño. Actualmente en Colombia el interés comercial es un 34% anual aproximadamente.

Cuando el contratista, está autorizando la maquinaria, este porcentaje de intereses al pagado por el crédito que se le concedió. En este caso siempre se tendrían en cuenta. En el primero, los intereses se consideran como costo de oportunidad; se pueden cobrar de acuerdo como está la competencia en el momento de elaborar la propuesta.

Impuestos: El impuesto sobre el patrimonio varía de acuerdo con el monto total del capital del contribuyente. Para este estudio se ha tomado el 20% anual.

Seguros: Las primas de seguros varían tanto con la clase de equipo como los riesgos que se desee cubrir. Hemos estimado conveniente usar un 3.2% que es aproximadamente la tarifa de seguros contra incendio, destrucción y responsabilidad civil para equipos de construcción de carreteras.

Parte del fruto del trabajo de una máquina debe estar destinado a la amortización de la misma, o sea que el dueño debe ir recobrando periódicamente el dinero empleado en su compra y en esta forma el capital invertido va disminuyendo año por año. Para calcular tanto los intereses como los impuestos y los seguros en un año determinado, se toma como base el valor del equipo dado por los libros al principio de ese año y los costos promedios por estos conceptos durante los años de vida útil del equipo se calcula con base en la inversión de capital en esos años, o sea sobre el valor promedio de la máquina.

a) **Costos de bodegaje o estacionamiento del equipo.**
En este renglón se han incluido todas las erogaciones ocasionadas por conceptos de celadores, bodegaje, cuando el equipo está inactivo o entre dos contratos u obras sucesivas de transporte cortos dentro de una obra, etc. ACIC (ASOCIACIÓN COLOMBIANA DE INGENIEROS CONTATISTAS) ha acordado que el costo de este renglón puede estimarse como promedio de un: .5% anual del valor medio del equipo en cuestión.
Este costo acostumbran algunos contratistas incluirlo dentro de los costos indirectos.

b) **Ejemplo del costo directo de hora maquina**

Constructora: M.M — Máquina: Caterpillar D6B
Obra: Carretera Andes – San José — Serie: 74ª

Datos Generales:

- Precio adquisición $9.000.000 — Fecha cotización, mayo 1981.
  Vida económica: 5 años
  Horas por año: 2000
  Motor Diésel: 120 HP

- Valor inicial (Vi) $9.000.000

- Valor de salvamento 10% Vi $ 900.000
- Valor medio horario (según formula anteriormente explicada): $2.880.00
- Tasa intereses anual: 34%
- Prima seguros: 3.2%
- Impuesto sobre patrimonio: 20% anual

Costos de propiedad

Depreciación $\frac{0.90 \times \$9.000.000}{10.000}$ $810.00

Intereses 0.34 x $2.880 $979.20

Seguros 0.032 x 2.880 $ 92.16

Impuesto sobre el patrimonio: 0.020 x 2.880 $ 57.60
Suma costos horarios de propiedad $1.938.96

Nota: Los intereses son variables de acuerdo al estado Económico del País (Sirve para el ejemplo)

Combustibles y Lubricantes

ACPM 322 x 1.10 glns a $44.00	155.85
Gasolina 0.15 x 1.10 glns a $44.00	7.26
Aceite motor 0.07 x 1.10 glns a $400.00	30.80
Aceite transmisión 0.003 x 1.1 glns a $430.00	14.19
Aceite hidráulico 0.02 x 1.1 glns a $600.00	13.20
Grasa 0.04 x 1.1 lbs / hora a $80.00	3.52
Filtros: 20% de combustible y lubricantes	44.96
Suma costos de combustible y lubricantes	269.78

3. Operación

Jornal operador: $600.00
Jornal ayudante: $190.00
Valor de jornales: $790.00

Valor hora ordinaria: $\frac{\$790.00}{8} = \$98.75$

Valor hora extra diurna: $98.75 x 1.25 = $123.44
Valor hora extras diarias: 3 x 123.44 = $370.32
Valor jornales más horas extras: $1.160.32

Valor hora promedia: $\frac{\$1.160.32}{11}$ = $105.48

Valor hora promedio teniendo en cuenta 25% por pérdidas de tiempo:
$105.48 x 1.25 = $131.85

Valor promedio con prestaciones sociales: 1.74 x 131.86 = $229.42

Costo horario de operación $229.42

4. Costo de mantenimiento

- Obra de mano: 0.25 x 0.90 x $810 (depreciación) = $182.25
- Repuestos: 0.75 x 0.90 x 1.5 (aumento en repuestos) x 810=$820.13

SUMA POR MANTENIMIENTO HORARIO $1.002.39
COSTO DIRECTO HORA MAQUINARIA $3.440.54
Aclaraciones al cuadro de análisis del costo directo horario de un D6B

1. El valor inicial de la máquina es un valor aproximado pues es un dato informativo y no una cotización.

2. Aunque los porcentajes empleados para seguros e impuestos sobre el patrimonio fueron tomados de la referencia 4, en la práctica se acude, no a porcentajes sino a datos reales sobre la situación que se afronta en el momento de elaborar la propuesta. Estos datos son los suministrados por las compañías de seguros y por la información interna de la compañía constructora sobre sus declaraciones de renta y patrimonio.

3. En cuanto a depreciación, es apenas una guía, pues el verdadero valor de depreciación de las máquinas se obtiene de la contabilidad, de costos que una compañía seria debe llevar.

4. El 10% con el cual se recarga los consumos de combustibles y lubricantes corresponda a las perdidas por manipuleo de ellos.

5. Las cantidades de combustible y los costos de mantenimiento, son simplemente guías, pues los verdaderos valores de ellas solo las suministra una buena organización de datos de funcionamiento de la maquinaria. En las páginas 83, 84, 85 y 86 se presentan ejemplos de los registros que se deben llevar para cada una de las máquinas.

6. A continuación, se presenta una tabla guía para cálculo de consumos de combustibles y lubricantes de las diferentes máquinas empleadas en la construcción.

Consumos horarios de combustible y lubricantes

ACPM: 0.0268 x potencia máxima en HP (para motores Diésel).
GASOLINA: 0.0402 x potencia en hp (motores de gasolina).

Aceite Motor: 0.000600 x potencia máxima en HP.

NOTA: Para el cálculo de los coeficientes anteriores se tuvieron en cuenta las siguientes consideraciones:

Tabla 1 elaborada
Tabla 2 Registro mensual de operación (elaborada la tabla)
Tabla 3 CAMBIOS DE ACEITES Y DE FILTROS DEL EQUIPO (elaborada)

REGISTRO DIARIO DE OPERACIÓN	
Fecha: ______	**Máquina:** ______
Frente: ______	**Modelo:** ______
Operador: ______	**Ficho:** ______
Ayudante: ______	**Ficho:** ______
Horametro: a.m. ______ **p.m.** ______	**Total:** ______
Reloj: a.m. ______ **p.m.** ______	**Total:** ______
Tiempo Operador: ______ **a.m.** ______	**p.m.** ______
Tiempo Ayudante: ______ **a.m.** ______	**p.m.** ______
COMBUSTIBLES Y LUBRICANTES	**TIEMPOS**
	Desmonte ______
Gas ______ **Gls**	**Descapote – Excavación** ______
ACPM. ______ **Gls**	**Terraplén** ______
Aceite Motor ______ **Gls**	**Comb. Y Engrase** ______
Aceite Hidráulico ______ **Gls**	
Aceite Trans ______ **Gls**	**Reparaciones** ______
Grasa ______ **Lbs**	**Lluvia** ______
	Otros ______
Localización del trabajo ______	
Observaciones ______	
Operador ______	
Vo. Bo. ______	

Tabla 3 CAMBIOS DE ACEITES Y DE FILTROS DEL EQUIPO

1. La cantidad de combustible que consume un motor de combustión interna es directamente proporcional a la potencia por él desarrollada.

2. La potencia desarrollada depende del tipo de máquina. En promedio para los equipos de construcción se asume que potencia entregada es igual al 67% de potencia máxima.

3. Un motor Diésel consume aproximadamente 0.04 galones de ACPM por caballo de fuerza producido y por hora. Un motor de gasolina consume aproximadamente 0.06 galones de combustible por HP y por hora. Para aplicación del coeficiente para aceite de motor, ver referencia 5.

Aceite Hidráulico (galones / hora)

De 40 H.P. a 99 H.P	0.01
De 100 H.P. a 200 H.P.	0.02
De 200 H.P. a 300 H.P.	0.03
De 300 H.P. a 400 H.P.	0.04
De 400 H.P. a 500 H.P.	0.05

Aceite de transmisión

De 40 H.P. a 49 H.P	0.01
De 50 H.P. a 99 H.P.	0.02
De 100 H.P. a 200 H.P.	0.03
De 200 H.P. a 300 H.P.	0.04
De 300 H.P. a 400 H.P.	0.05
De 400 H.P. a 500 H.P.	0.06

Consumo de grasas libra/hora

Equipo	Menor de 100 H.P.	Entre 100 y 150 H.P.	Entre 150 y 200 H.P.	Mayor 200 H.P.
Cargadores de llantas	0.03	0.03	0.03	0.04
Cargadores sobre orugas	0.03	0.04	0.05	0.06
Cilindradores de 3 ruedas	0.10	0.15	0.20	0.25
Cilindradores en tándem	0.10	0.15	0.20	0.25
Compactadores de llantas	0.10	0.12	0.16	0.18
Compactadores pata de cabra	0.10	0.15	0.20	0.25
Compresores	0.10	0.15	0.20	0.25
Dragas, grúas y palas	0.20	0.30	0.40	0.50
Mezcladores de concreto portátiles	0.15	-	-	-
Motoniveladoras	0.03	0.03	0.03	0.03
Mototraíllas	0.15	0.20	0.20	0.20
Terminadoras de asfalto	0.03	0.03	0.03	0.03
Tractores de llantas	0.02	0.03	0.03	0.03
Tractores de oruga	0.03	0.04	0.05	0.06
Traíllas	0.02	-	-	-
Volquetas	0.07	0.08	0.08	0.09

Datos tomados de la referencia 5.

D. COSTOS INDIRECTOS

1. Generalidades

Definición: Los costos indirectos aplicables a una obra o a los diferentes conceptos de trabajo que forman parte de la misma, son todos aquellos gastos generales que, por su naturaleza intrínseca, son de aplicación a todos y cada uno de los conceptos de trabajo que forman parte de una obra determinada; o de dos o más obras ejecutadas por una empresa; es decir, los gastos generales que ejerce la empresa para hacer posible la realización de todas sus operaciones en las obras a su cargo.

Los indirectos propios de cada obra particular son perfectamente previsibles, es decir, se pueden analizar y estimar previamente por lo menos dentro del mismo orden de aproximación de los costos directos. Se pueden, por otra parte, controlar durante la ejecución de la obra para mantenerlo dentro de los límites prefijados. Los tipos de los costos indirectos propios de cada obra se enuncian a continuación:

2. Clasificación de los costos indirectos:

a) Gastos Legales

- Impuestos del timbre del contrato.
- Publicación.
- Estampillas para cuentas de cobro.

b) Garantías y seguros

- Garantía de la propuesta.
- Garantía de cumplimiento.
- Garantía de anticipo.
- Garantía de estabilidad.
- Garantía para el pago de las prestaciones sociales.
- Contragarantías.
- Seguros de vida y accidente.
- Seguros de responsabilidad civil de los vehículos empleados.
- Seguros de responsabilidad civil extracontractual por daños, ocasionados a terceros.
- Seguros que amparen el transporte de valores.
- Seguros contra todo riesgo expedido para proteger equipos, maquinaria y obra ejecutada contra impericia, descuido, sabotaje, caída de partes, incendio, rayo, explosión, temblores, etc.

c) **Instalación y facilidades**

- Oficinas principales en la localidad.
- Oficinas en el frente de trabajo.
- Almacenes y polvorines.
- Bodega de cemento.
- Talleres, carpintería, herrería, soldadura, mecánica.
- Laboratorio de ensayo de materiales.
- Garajes y señales.
- Movilización del equipo el lugar de la obra.
- Movilización y acomodación del personal no loca.
- Campamentos de obreros.
- Campamentos de capataces y des vestideros.
- Casino de empleados.
- Casino de obreros.
- Puesto de primeros auxilios.
- Instalación de agua.
- Instalación de letrinas, duchas, lavamanos según exigencias, del Ministerio de Trabajo.
- Instalación de energía y alumbrados provisionales.
- Instalación de teléfonos provisionales.
- Preparación del sitio de instalación, limpieza, cercas, etc.
- Puesto para refrescos, hielo, etc.
- Juego y facilidades para personal del campamento.

d) **Gastos Varios**

- SG-SST: Sistema de Gestión en Seguridad y Salud en el Trabajo.
- Elementos de Seguridad Industrial y protección personal.
- Depreciación de muebles, archivadores, máquinas de oficina.
- Valor de comunicaciones telefónicas, telegráficas, correo, celulares.
- Tanques de combustible.
- Exámenes médicos, drogas, etc.
- Operación de Pick-Ups.
- Operación de camiones o volquetas de administración.
- Plan de Movilidad Vial y Señalización.
- Subsidio de alimentación de los obreros y gastos de mantenimiento del casino.
- Mantenimiento de caminos, patios y cercas.
- Mantenimiento de campamentos y oficinas.
- Valor del consumo de agua.
- Valor del consumo de energía y alumbrado.
- Capas, botas, cascos, ropa de trabajo.
- Útiles de oficina, papelería, etc.
- Útiles para topografía.
- Gastos de compras.
- Materiales de consumo, herramienta menor y fungible.
- Desmantelamiento de la instalación provisional y limpieza final de la obra.
- Traslado al lugar de origen de los equipos y personal no local.

- Construcción de caminos auxiliares o industriales, si no están contempladas en los pliegos de condiciones.

e) **Gastos de Administración de Obras.**

Salarios de prestaciones sociales de:

- Jefe Administrativo
- Almacenista
- Contador
- Pagador
- Jefe de personal
- Ayudante de oficina
- Jefe de compras
- Secretaria
- Auxiliar de Ingeniería – Inspector
- Mensajero
- Celaduría
- SISO de obra
- Profesional y Asesor SG-SST
- Profesional en calidad
- Supervisión técnica del Proyecto Ley de Vivienda Segura
- Gerente del proyecto
- Director de Obra
- Ingeniero y/o Arquitecto residente de obra
- Mecánico

REGISTRO MENSUAL DE OPERACIÓN

MÁQUINA N°: ______________ OPERADOR: ______________

MODELO: ______________

DURANTE EL MES DE: ______________ SERIE: ______________ FIRMA RESPONSABLE: ______________

FECHA	Lectura del Horametro	HORAS			COMBUSTIBLES		ACEITES			GRASA	LUGAR DEL TRABAJO	CLASE DE TRABAJO	REPARACIONES - OBSERVACIONES
		Tiempo	Tiempo	Tiempo	ACPM		Motor	Hidraulico	Transmisión				
		Activo	La active	Operador	Gal	Gal	Gal	Gal	Gal	Lbs			
1													
2													
3													
4													
5													
6													
7													
8													
9													
10													
11													
12													
13													
14													
15													
16													
17													
18													
19													
20													
21													
22													
23													
24													
25													
26													
27													
28													
29													
30													
31													
TOTALES											REVISO:		FECHA:

M A Q____________________ HOJA DE COSTOS DE OPERACIÓN DEL EQUIPO M E S________________

DIA	COMBUSTIBLE				LUBRICANTES								GRASA		FILTRO		HORA METRO	OBSERVACIONES	REPUESTO	CLASE DE TRABAJO	JORNADA DE TRABAJO	HORAS RECEPCIÓN	HORAS DE LLUVIAS	HORAS EN COMB. Y ENS	HORAS OTROS	HORAS TRABAJADAS
	ACPM		GASOLINA		ACEITE No		ACEITE No		ACEITE No		ACEITE No															
	GLS	VALOR	GLS	VALOR	CANT	VALOR	CANT	VALOR	CANT	VALOR	CANT	VALOR	CANT	VALOR	CANT	VALOR										
1																										
2																										
3																										
4																										
5																										
6																										
7																										
8																										
9																										
10																										
11																										
12																										
13																										
14																										
15																										
16																										
17																										
18																										
19																										
20																										
21																										
22																										
23																										
24																										
25																										
26																										
27																										
28																										
29																										
30																										
31																										
TOTAL																										

DETALLE DEL CONSUMO DE REPUESTOS

DIA	REPUESTOS	CANT	VALOR	DIA	REPUESTOS	CANT	VALOR	DIA	REPUESTOS	CANT	VALOR

COSTO TOTAL MES

COSTO TOTAL HORA

Depr.	Hora $________________
Ints.	Hora $________________
Seguros	Hora $________________
M.O costo	Hora $________________
Operación	Hora $________________
TOTAL	Hora $________________

RENDIMIENTOS:

De Trabajo: ____________________

Mecánico: ____________________

Climático: ____________________

OFICINA DE EST.	INGENIERO

III. CLASIFICACION DE SUELOS

FUENTE: UNIVERSIDAD NACIONAL DE COLOMBIA 1974 PUBLICACIONES

CONCEPTO TECNICO PARA DISEÑO DE MUROS DE CONTENCIÓN EN CONCRETO:

- Criterio del Ingeniero Geotecnista Álvaro Millán Ángel de Pereira – Risaralda – Colombia.
- "Si se tiene un suelo de fundación de características pobres, al sustituir ese material por un material granular (tipo afirmado cemento), se aumenta el ángulo de fricción entre la zapata y el suelo, por consiguiente, se aumenta la resistencia al deslizamiento.
  El coeficiente de rozamiento es la tangente del ángulo de fricción. Al sustituir el material de lleno contra la cara interior del muro por material friccionante (tipo afirmado) con baja compactación, se reduce el empuje, siempre y cuando la compactación de este material sea leve, porque de lo contrario se puede pasar de un caso de empuje activo a empuje pasivo, el cual puede ser entre cuatro (4) y cinco (5) veces mayor".

CONCEPTO TÉCNICO PARA DISEÑO DE MUROS EN SUELO REFORZADO:

- Criterio del Ingeniero Geotecnista Álvaro Daniel García Muñoz de Pereira – Risaralda – Colombia.

SUELO REFORZADO

En general este término podría utilizarse para definir una estructura conformada por una masa de suelo a la cual se le han introducido elementos de refuerzo, los cuales bien pueden ser láminas de acero o geosintéticos, buscando mejorar la resistencia del suelo a la tensión, la cual para propósitos prácticos se considera como nula. Caben pues dentro de este concepto los sistemas conocidos como tierra armada, keystone y suelos reforzados con geotextil. En las últimas décadas se ha extendido el uso de los suelos reforzados con geotextil dado su relativo bajo costo al compararle con sistemas convencionales tales como muros en concreto, pantallas ancladas, pantallas piloteadas o terraplenes con largos desarrollos en sus hombros. Parte de la efectividad en el costo se asocia al uso de materiales del sitio como suelo a ser reforzado y a la disponibilidad de una amplia oferta de marcas de geotextil que ha contribuido a estabilizar los precios de dichos materiales.

La extensión en el uso de estos sistemas ha llevado a entidades como la FHWA, a clasificar este tipo de estructuras en dos grandes grupos:

1. MSEW o muros de suelos mecánicamente estabilizados, para los cuales restringe el uso de llenos a materiales granulares
2. RSS o taludes de suelo reforzado en los cuales se acepta el uso de materiales de sitio de forma genérica, pero se restringe la pendiente de la fachada de la estructura a ángulos menores a 70°.

En nuestro medio se ha extendido el uso de soluciones que no cabrían en las definiciones de la FHWA, pues se realizan cada vez más estructuras con materiales del sitio (en general de no muy exigente selección), con fachadas en pendientes que llevan a ángulos próximos a los 90°.

El concepto original en el diseño de estas estructuras de suelo reforzadas, se basa en definir una superficie de falla, la cual corresponde a un ángulo de 45+f/2, con la horizontal y dependiendo del tipo de refuerzo, esto es, si este es extensible (caso de los geosintéticos) o inextensible (caso de los refuerzos en acero), se definirá una zona a ser reforzada de forma tal que se logre lo siguiente:

a. Un incremento de la resistencia a la tensión debida a la inclusión del refuerzo, en la dirección de la superficie de falla
b. Un incremento del esfuerzo normal a la superficie de falla lo cual induce un aumento en el confinamiento del suelo y por ende una mejora en la resistencia al corte en las vecindades del refuerzo.

En general se estima que con longitudes de refuerzo equivalentes al 80% de la altura de la estructura de suelo se logra un diseño efectivo aún para soportar cargas sísmicas; esto ha llevado a que cada vez estas estructuras sean dimensionadas sin realizar optimizaciones de su diseño, usando el criterio de realizar un reforzamiento continuo en altura con longitudes iguales a dicho 80%; sin embargo, si nos atenemos a la concepción original del diseño, basado en identificar una superficie de falla formando un ángulo de 45+f/2 con la horizontal, es claro que en la partes bajas de la estructura de suelo reforzado deberían usarse longitudes más cortas que aquellas que se utilicen en las porciones superiores. Esto lleva a economías de cerca del 30% en los costos del refuerzo.

En general se aceptan como ventajas de estos sistemas las siguientes:

1. Construcción simple y relativamente rápida
2. Exige menor preparación del sitio
3. Optimiza el derecho de vía a negociar
4. No hay necesidad de cimentaciones muy rígidas, pues una de las más importantes características del sistema es su flexibilidad y capacidad de tolerar deformaciones.

5. Se han llegado a alcanzar alturas de hasta 46 m., pero es común el desarrollo de estructura hasta de 30 m. de altura.
6. En general la literatura refiere un buen comportamiento en condiciones sísmicas
7. En algunos casos y dependiendo del uso a darle a la estructura, es posible usar los materiale del sitio que pueden hacer parte de derrumbes o movimientos en masa.
8. En general se acepta que es una solución que puede reunir condiciones estéticas y ecológica amigables.

En cuanto a las desventajas del sistema se podrían mencionar las siguientes:

1. Necesidad de espacio para asegurar el desarrollo del refuerzo
2. Puede presentarse una gran variabilidad funcional dependiendo del refuerzo y el suelo a usar.

FHWA: Federal Highway Administrativa

MSEWA: Muros de Suelos mecánicamente estabilizados.

RSS: Taludes de Suelo reforzado.

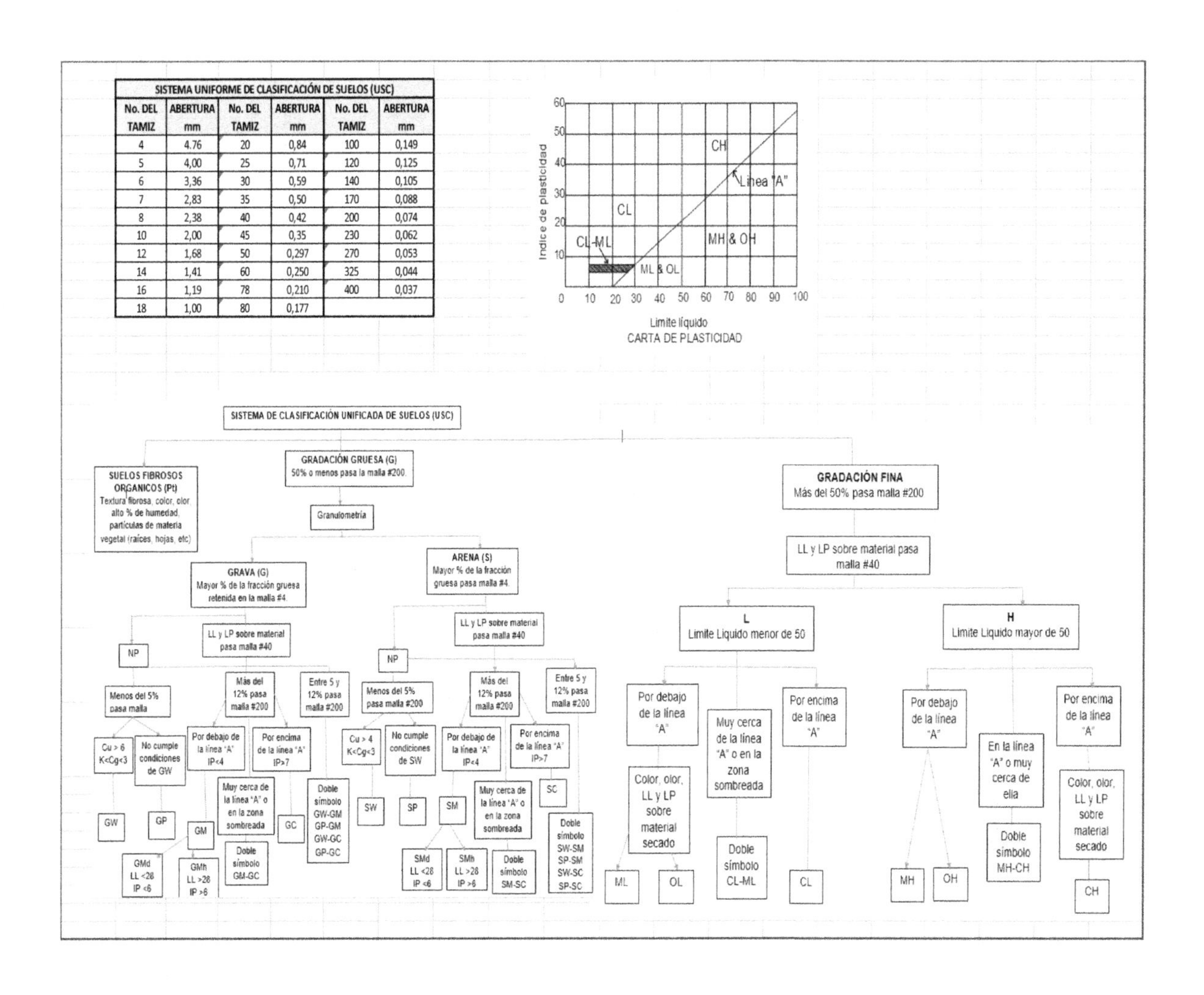

SISTEMA UNIFORME DE CLASIFICACIÓN DE SUELOS (USC)					
No. DEL TAMIZ	ABERTURA mm	No. DEL TAMIZ	ABERTURA mm	No. DEL TAMIZ	ABERTURA mm
4	4.76	20	0,84	100	0,149
5	4,00	25	0,71	120	0,125
6	3,36	30	0,59	140	0,105
7	2,83	35	0,50	170	0,088
8	2,38	40	0,42	200	0,074
10	2,00	45	0,35	230	0,062
12	1,68	50	0,297	270	0,053
14	1,41	60	0,250	325	0,044
16	1,19	78	0,210	400	0,037
18	1,00	80	0,177		

SISTEMA UNIFORME DE CLASIFICACIÓN DE SUELOS (USC)

DIVISIONES PRINCIPALES			LETRAS	COLOR	DENOMINACIONES USUALES	PROCEDIMIENTOS DE IDENTIFICACIÓN EN TERRENO (Se excluyen particulas mayores de 3" y se basan las fracciones en peso a estimar)	INFORMACIÓN NECESARIA PARA LA DESCRIPCIÓN DE LOS SUELOS	CRITERIO DE CLASIFICACIÓN EN EL LABORATORIO		
SUELOS DE GRANO GRUESO Más de la mitad es retenido en tamiz N.200	GRAVAS Y SUELOS GRAVILLOSOS Más del 50% de la fracción gruesa retenido por tamiz #4	Gravas limpias (poco o sin finos)	GW	ROJO	Gravas ó gravas arenosas bien gradadas	Amplia escala en el tamaño de las particulas y cantidades substanciales de los tamaños e intermedios	Desé la denominación usual, indique los % aproximados de grava y arena, tamaño máimo, angulosidad, condiciones de la superficie y dureza de las particulas gruesas, denominación regional o geologica y otros informaciones descriptivas pertinentes, y su simbolo, entre parentesis. Para suelos indisturbados se agrega información sobre estratificación, grado de compactación, cementación, condiciones de humedad y caracteristicas de drenaje. **EJEMPLO**: Arena limosa, gravillosa: dureza de alrededor de 20%, particulas de grava angulares, tamaño máximo 1/2" arena con granos gruesos a finos, redondeada y sub-angulares; alrededor de 15% de finos no plásticos con poca resistencia a la compresión seca; bien compacto y humedad en el sitio; arena aluvial; (SM)	Usar la curva granulometrica para identificar las fracciones dadas en la identificación de campo.	Determinar porcentaje de grava y arena en la curva granulometrica. Según el porcentaje de finos (fracción interior al tamiz #200) los suelos de grano grueso se clasifican como sigue: **Menos del 5%**: GW,GP,SW,Sp. **Más del 12%**: GM,GC,SM,SC. **5 al 12%**:Casos limites que requieren usar doble simbolos.	Cu= D60/D10 >6 Cu= (D30)2 / (D10xD60) entre 1 y 3
			GP	ROJO	Gravas ó gravas arenosas probablemente gradadas	Predomina un tamaño o serie de tamaños con ausencia de algunos intermedios				Cuando no se cumplen simultaneamente las condiciones
		Gravas con finos (bastantes finos)	GM	AMARILLO	Gravas limosas, Mezclas de grava-arena-limo	Finos no plásticos o finos con poca plasticidad (para identificación ver grupo ML)				Limites de Atterberg debajo de linea A o IP<4 — Encima de la linea con IP entre 4 y , casos limites que tendrán uso de doble simbolo
			GC	AMARILLO	Gravas arcillosas, Mezclas de grava-arena-arcilla	Finos plásticos (para identificar ver grupo CL)				Limites de Atterberg sobre de linea A con IP>7 — Encima de la linea con IP entre 4 y , casos limites que tendrán uso de doble simbolo
	ARENAS Y SUELOS ARENOSOS Más de la mitad de la fracción gruesa pasa por el tamiz #4	Arenas limpias (poco o sin finos)	SW	ROJO	Arenas o arenas gravillosas bien gradadas	Escala amplia en el tamaño de los granos y cantidades substanciales de los intermedios				Cu= D60/D10 >4 Cu= (D30)2 / (D10xD60) entre 1 y 3
			SP	ROJO	Arenas o arenas gravillosas probablemente gradadas	Predomina un tamaño o serie de tamaños con ausencia de algunos intermedios				Cuando no se cumplen simultaneamente las condiciones
		Arenas con finos (bastantes finos)	SM	AMARILLO	Arenas limosas, mezclas de arena y limo	Finos no plásticos o finos con poca plasticidad (para identificación ver grupo ML)				Limites de Atterberg debajo de linea A o IP<4 — Los límites que quedan en la zona rayada con IP entre 4 y 7, son casos limites que requieren soble simbolo
			SC	AMARILLO	Arenas arcillosas, mezclas de arena y arcilla	Finos plásticos (para identificar ver grupo CL)				Limites de Atterberg sobre de linea A con IP>7 — Los límites que quedan en la zona rayada con IP entre 4 y 7, son casos limites que requieren soble simbolo

Procedimientos de identificación sobre la fracción menor que tamiz #40 (0,42mm)

DIVISIONES PRINCIPALES		LETRAS	COLOR	DENOMINACIONES USUALES	Resistencia a la compresión seca	Dilatancia (Reacción a la vibración)	Tenacidad	INFORMACIÓN NECESARIA PARA LA DESCRIPCIÓN DE LOS SUELOS
SUELOS DE GRANO FINO Más de la mitad pasa tamiz N.200	SUELOS DE LIMOS Y ARCILLAS (LÍMITE LÍQUIDO <50)	ML	VERDE	Limos inorganicos y arenas muy finos, polvo de roca, arenas finas limosas o arcillosas o limos arcillosas con ligera plasticidad.	Ninguna ó ligera	Rápida a lenta	Nula	Desé la denominación usual, indique caracter y grado de plasticidad, tamaño máimo, cantidad de las particulas gruesas, color en condiciones humedas, olor si hay, normbre regional o geologica y otros informaciones descriptivas pertinentes, y su simbolo, entre parentesis. Para suelos indisturbados se agrega información sobre estructura, estratificación, consistencia en estado remoldeado e indisturbado, condiciones de drenaje y humedad. **EJEMPLO**: Limo arcilloso, carmelito, poca plasticidad, bajo porcentaje de arena fina, muchos huecos de raices y verticales, se encuentra en sitio seco y firme, lo es (M.L)
		CL	VERDE	Arcillas inorganicas de plasticidad baja a media, arcillas gravillosas, arcillas arenosas, arcillas limosas, arcillas pobres	Media a alta	Nula a muy lenta	Media	
		OL	VERDE	Limos organicos y arcillas limosas organicas de baja plasticidad.	Ligera a media	Lento	Ligera	
	SUELOS DE LIMOS Y ARCILLAS (LÍMITE LÍQUIDO >50)	MH	AZUL	Limos inorganicos, suelos limosos o arenas finas diatomaceas o micaceas, limos elasticos	Ligera a media	Lento a nulo	Ligera a media	
		CH	AZUL	Arcillas organicas de alta plasticidad, arcillas grasosas.	Alto a muy alto	Nula	Alta	
		OH	AZUL	Arcillas organicas de plasticidad media a alta, limos organicos	Media a alta	Nula a muy lenta	Ligera a media	
SUELOS ORGANICOS FIBROSOS		Pt	NARANJA	Turba y otros suelos de alto contenido organico	Facilmente identificables por el color, olor, tacto esponjoso y con frecuencia por su textura fibrosa.			

NOTA N°1:
CASOS LÍMITES: Los suelos que posean caracteristicas de los grupos, se deberán designar por la combinación de los simbolos de ambos grupos; por ejemplo: GW-GC, mezcla de grava bien gradada y arena con ligante de arcilla.

NOTA N°2: Todos los tamices indicados en esta tabla son U.S normales. Para una clasificación visual, la dimensión del tamiz #200, es aproximadamente la de menor particula apreciable a simple vista; para el tamiz #4 (4,76mm) puede usarse el tamaño que representa 1/4 de pulgada.

DIVISIONES PRINCIPALES -1-	-2-	SIMBOLOS -3-		MATERIAL 4-	VALOR COMO FUNDACIÓN CUANDO NO ESTAN SUJETOS A HELADAS -5-	VALOR COMO BASE DIRECTAMENTE ENTRE BAJO PAVIMENTO BITUMINOSO -6-	CAPACIDAD PARA SEGREGAR HIELO -7-	COMPRESIBILIDAD Y EXPANSIÓN -8-	CARACTERISTICAS DE DRENAJE -9-	EQUIPO DE COMPACTACIÓN -10-	PESO SECO UNITARIO Lbs/pie3 -11-	C.B.R CAMPO -12-	MÓDULO DE LA SUB-RASANTE (K) Lbs/pulg3 -13-
SUELOS DE GRANO GRUESO	GRAVAS Y SUELOS GRAVILLOSOS	GW		Grava arenosa bien gradada	Excelente	Buena	Nula a Muy ligera	Casi nula	Excelente	Tractor oruga, equipo de llantas neumaticos, cilindradora de rodillos	125 - 140	60 - 80	300 ó más
		GP		Grava ó grava arenosa pobremente gradada	Buena a Excelente	Mala a Aceptable	Nula a Muy ligero	Casi nula	Excelente	Tractor oruga, equipo de llantas neumaticos, cilindradora de rodillos	110 - 130	25 - 60	300 ó más
		GM	d	Grava ó grava arenosa uniformemente gradada	Buena a Excelente	Aceptable a Buena	Ligera a Media	Muy ligera	Aceptable a mala	Equipo de llantas neumaticas, rodillo de pata de cabra, inspección estricta de humedad	130 - 145	40 - 80	300 ó más
			u	Grava limosa ó grava limo arenosa	Buena	Mala	Ligera a Media	Ligera	Mala a practicamente impermeable	Equipo de llantas neumaticas, rodillo de pata de cabra.	120 - 140	20 - 40	200 a 300
		GC		Grava arcillosa ó grava arcillo arenosa	Buena	Mala	Ligera a Media	Ligera	Mala a practicamente impermeable	Equipo de llantas neumaticas, rodillo de pata de cabra.	120 - 140	20 - 40	200 a 300
	ARENAS Y SUELOS ARENOSOS	SW		Arena o arena gravillosa bien gradada	Buena	Mala	Nula a Muy ligera	Casi nula	Excelente	Tractor oruga, equipo de llantas neumaticos	110 - 130	20 - 40	200 a 300
		SP		Arena ó arena gravillosa pobremente gradada	Aceptable	Mala a Aceptable	Nula a Muy ligera	Casi nula	Excelente	Tractor oruga, equipo de llantas neumaticos	110 - 120	10 - 25	200 a 300
		SM	d	Arena ó arena gravillosa uniformemente gradada	Buena	Mala	Ligera a Alta	Muy ligera	Aceptable a mala	Equipo de llantas neumaticas, rodillo pata de cabra, inspección de humedad	120 - 135	20 - 40	200 a 300
			u	Arena limosa o arena limo gravillosa	Aceptable a Buena	Inaceptable	Ligera a Alta	Ligera a Media	Malo a practicamente impermeable	Equipo de llantas neumaticas, rodillo de pata de cabra.	105 - 130	10 - 20	200 a 300
		SC		Arena arcillosa ó arena grava arcillosa	Aceptable a Buena	Inaceptable	Ligera a Alta	Ligera a Media	Malo a practicamente impermeable	Equipo de llantas neumaticas, rodillo de pata de cabra.	105 - 130	10 - 20	200 a 300
SUELOS DE GRANO FINO	LIMOS Y ARCILLAS LL < 50	ML		Limos, limos arenosos, limos gravillosos, o suelos diatomaceos	Regular a Pobre	Inaceptable	Media a muy alta	Ligera a Media	Aceptable a mala	Equipo de llantas neumaticas, rodillo pata de cabra, inspección de humedad	100 - 125	5 - 15	100 a 200
		CL		Arcillas gruesas, arcillas arenosas o arcillas gravillosas	Regular a Pobre	Inaceptable	Media a Alta	Media	Practicamente impermeable	Equipo de llantas neumaticas, rodillo de pata de cabra.	100 - 125	5 - 15	100 a 200
		OL		Limos organicos o arcillas gruesas organicos	Mala	Inaceptable	Media a Alta	Media a Alta	Mala	Equipo de llantas neumaticas, rodillo de pata de cabra.	90 - 105	4 - 8	100 a 200
	LIMOS Y ARCILLAS LL > 50	MH		Arcillas micaceas o suelos diatomaceos	Mala	Inaceptable	Media a muy alta	Alta	Aceptable a mala	Rodillo pata de cabra	60 - 100	4 - 8	100 a 200
		CH		Arcillas gruesas.	Mala a muy mala	Inaceptable	Media	Alta	Practicamente impermeable	Rodillo pata de cabra	90 - 110	3 - 9	50 a 100
		OH		Arcillas organicas gruesas	Mala a muy mala	Inaceptable	Media	Alta	Practicamente impermeable	Rodillo pata de cabra	80 - 105	3 - 5	50 a 100
Suelos de estructura orgánica		Pt		Lodos, humus y otros	Inaceptable	Inaceptable	Ligera	Muy alta	Aceptable a mala	Compactación impracticable	-	-	-

Table title: TABLA III : SISTEMA UNIFORME DE CLASIFICACIÓN DE SUELOS (USC)

NOTAS:

1. Los valores de la columna 5 se refieren a sub-rasantes y capas de base excepto la capa de base inmediatamente inferior a la capa de rodadura.

2. En la columna 6, el término "Excelente" se ha reservado sólo para materiales de base de alta calidad y trituración controlada.

3. En la columna 10, los equipos enumerados usualmente producirán la compactación requerida con un número razonable de pasos cuando son propiamente controladas las condiciones de humedad y espesor de cada capa.
En algunos casos se han enumerado varios tipos de equipo porque dentro de un mismo grupo hay materiales de diferentes características. A veces la combinación de dos tipos puede ser necesaria.
A. Materiales controlados para base y otros materiales angulares. Se recomiendan rodillos de acero para materiales de alta dureza y angulares con pocos finos o tamizados. El equipo de llantas neumáticas se recomienda para materiales más blandos sometidos a degradación.
B. Se recomienda el equipo de llantas neumáticas para el cilindrado final para la mayoría de suelos de materiales controlados.
C. Dimensiones de los equipos. Las siguientes dimensiones son aconsejables para obtener altas densidades requeridas para aeropuertos:
Tractor de orugas. Pero total por encima de 30.000 Lbs.
Equipo de llantas neumáticas. Carga de llantas por encima de 15.000 Lbs. Para obtener las densidades requeridas en algunos materiales, pueden ser necesarias hasta 40.000 Lbs por llanta (basados en presión de contacto de 65 a 150 psi).
Rodillo pate cabra-Presión unitaria (sobre patas de 6" a 12" cuadradas) debe ser superior a 250 psi y puede ser necesaria hasta por encima de 650 psi, para obtener densidades requeridas para algunos materiales. El área de la pata debe ser por lo menos el 5% del área periférica total del tambor usando el diámetro medido a las caras de la pata.

4. Columna 11, los pesos unitarios secos son para suelos compactados a la humedad óptima para el AASHO modificado.

5. La división del grupo GM y SM en las subdivisiones d y u, son para carreteras y aeropuertos solamente; la sub-división está basada en los límites de Atterberg; la letra "d" (p.c GMd), se usará el LL=28 o menos, y el IP=6 o menos; la letra "u" se usará cuando el LL sea mayor de 28.

TABLA VI: CARACTERISTICAS TERMITENTES A RELLENOS Y FUNDACIONES								
DIVISIONES PRINCIPALES		LETRAS	VALOR COMO RELLENO (*)	PERMEABILIDAD	CARACTERISTICAS DE COMPACTACIÓN (**)	PESO MAX. UNIT. SECO ASSHO NORMAL Lbs/pie3 (***)	VALOR COMO FUNDACIÓN (*)	EXIGENCIAS PARA EL CONTROL DE LA INFILTRACIÓN
SUELOS DE GRANO GRUESO	GRAVAS Y SUELOS GRAVILLOSOS	GW	Muy estable, secciones permeables de diques y represas		Bueno, tractor de llantas neumaticas, cilindradora de rodillos	125-135	Buen valor de soporte	Muro interceptor positivo de pantalla
		GP	Razonablemente estable, secciones permeables de diques y represas		Bueno, tractor de llantas neumaticas, cilindradora de rodillos	115-125	Buen valor de soporte	Muro interceptor positivo de pantalla
		GM	Razonablemente estable, no es aconsejable en particular para secciones, pero puede usarse para núcleos impermeables a colchones		Buena, con control estricto, llantas neumaticas, rodillo patecabra	120-135	Buen valor de soporte	De zanja de base a ninnguno
		GC	De estabilidad aceptable, puede usarse para núcleos impermeables		Aceptable, rodillo patecabra, llantas neumaticas	115-130	Buen valor de soporte	Ninguno
	ARENAS Y SUELOS ARENOSOS	SW	Muy estable, secciones permeables, se requiere protección del talud	k > 10^-3	Bueno, tractor	110-130	Buen valor de soporte	Colector aguas arriba y drenaje de pie o pozos
		SP	Razonablemente estable, puede usarse en secciones para diques con taludes moderados	k > 10^-3	Bueno, tractor	100-120	De buen valor a pobre valor de soporte según la densidad	Colector aguas arriba y drenaje de pie o pozos
		SM	De estabilidad aceptable, no es aconsejable en particular para secciones, puede usarse para núcleos impermeables o diques	k= 10^-3 a 10^-6	Bueno, control estricto, llantas neumaticas, rodilla patecabra	110-125	De buen valor a pobre valor de soporte según la densidad	Colector aguas arriba y drenaje de pie o pozos
		SC	De estabilidad aceptable, puede usarse para núcleos impermeables para controlar el flujo de estructuras	k= 10^-6 a 10^-8	Aceptable, rodillo patecabra, llantas neumaticas	105-125	De buen a pobre valor de soporte	Ninguno
SUELOS DE GRANO FINO	LIMOS Y ARCILLAS L.L <50	ML	De estabilidad pobre, puede usarse para rellenos ejerciendo un control apropiado	k= 10^-3 a 10^-6	De bueno a pobre, indispensable control estricto, llantas neumaticas, rodillo patecabra	95-120	Muy pobre, suceptible a licuarse	De zanja de base a ninnguno
		CL	Estable, núcleos impermeables y colchones	k= 10^-6 a 10^-8	De aceptable a bueno, rodillo patecabra, llantas neumaticas	95-120	De bueno a pobre el soporte	Ninguno
		OL	No es aconsejable para rellenos	k= 10^-4 a 10^-6	De aceptable a pobre, rodillo patecabra	80-100	De aceptable a pobre el soporte, puede tener asentamientos excesivos	Ninguno
	LIMOS Y ARCILLAS L.L >50	MH	De estabilidad pobre, núcleo de represas de relleno hidráulico, no es deseable para la construcción de rellenos compactados	k= 10^-6 a 10^-8	De pobre a muy pobre, rodillo patecabra	75-95	Soporte pobre	Ninguno
		CH	De estabilidad aceptable con taludes moderados, puede usarse para cortinas delgadas, colchones y secciones de diques	k= 10^-6 a 10^-8	De aceptable a pobre, rodillo patecabra	75-105	De aceptable a pobre el soporte	Ninguno
		OH	No es aconsejable para rellenos	k= 10^-6 a 10^-8	De pobre a muy pobre, rodillo patecabra	65-100	Soporte muy pobre	-
SUELOS DE ESTRUCTURA ORGÁNICA		Pt	No usado en construcción		Compactación no practica		Retirarse de las fundaciones	

El criterio de laboratorio se basa en las relaciones entre el limite líquido y el índice de plasticidad sobre la carta de plasticidad. Esta carta sirve para indicar los límites que determinan a los suelos finos y establecer, por su análisis, los efectos de los límites de Atterberg en sus características físicas. Divide a los suelos de grano en dos grupos principales, el grupo "L" (baja compresibilidad) con limite liquido menor de 50% y el grupo "H" (alta compresibilidad), que tienen limite liquido superior a 50%. También se sub-dividen de acuerdo con la posición de los limites en relación con la línea "A". Esta línea la definió Casagrande por medio de la ecuación IP=0,73(LL-20); excepto para la parte inferior a u limite liquido de 29% donde se convierte en una zona horizontal que se extiende desde IP=4% hasta IP=7%. Representa un importante limite empírico entre las arcillas típicamente inorgánicas (CL y CH), que generalmente están situadas sobre la línea "A", y los suelos plásticos que contienen coloides orgánicos (OL y OH) o los suelos limosos inorgánicos (ML y MH). En la parte inferior desde el 4% a 7%, hay una considerable superposición de propiedades de los suelos de tipo arcilloso y limoso; de ahí que la línea "A" quede señalada como zona y los suelos que se encuentran en ella deben ser clasificados como intermedios.
Las sub-divisiones que presentan los suelos de grano fino son las siguientes:

A. Grupos ML y MH: Suelos típicos de estos grupos son los limos inorgánicos, los de baja plasticidad pertenecen al grupo ML, los de alta plasticidad al grupo MH. Ambos quedan localizados por debajo de la línea "A". En el grupo ML se incluyen arenas muy finas, polvo de roca, y arenas finas arcillosas o limosas con ligera plasticidad; Los suelos sueltos, los micáceos y diatomáceos con limite liquido menor de 50%. Al grupo MH pertenecen generalmente los suelos micáceos, diatomáceos, ciertos tipos de kaoliritas o illitas, que tienen plasticidad relativamente baja y los limos elásticos.

B. Grupos CL y CH: A estos grupos pertenecen principalmente las arcillas inorgánicas que se encuentran por encima de la línea de la carta de plasticidad, con bajo o alto limite líquido. En el grupo CL (Limite liquido menor de 50%) quedan incluidas las arcillas gravillosas, arcillas arenosas, arcillas limosas y las arcillas magras o pobres. En el grupo CH (Limite liquido mayor de 50%) lo forman las arcillas grasosas, las arcillas o suelos arcillosos, las arcillas volcánicas y la bentonita.

C. Grupos OL y OH: Los suelos de estos dos grupos se caracterizan por la presencia de materia orgánica, de su símbolo (O) y su localización por debajo de la línea "A" en el gráfico de plasticidad. Estos grupos presentan comúnmente un olor que, con experiencia, puede usarse como ayuda en la identificación de tales materiales. El olor es más aparente en las muestras frescas, disminuye gradualmente con la exposición al aire, pero aparece de nuevo al calentar una muestra húmeda. Cuando se tiene duda de si el suelo es orgánico o inorgánico, se puede hacer una comparación entre los limites plásticos y líquidos de una muestra húmeda y las de otra que se haya secado en el horno 110°C. Si es orgánico sufrirá una disminución pronunciada en sus limites.

Las notas son tomadas de clases, conferencias de suelos y geotécnia de la Universidad nacional de Manizales

CLASIFICACIÓN DE LA AASHO												
CLASIFICACIÓN GENERAL	**MATERIALES GRANULARES (35% ó menos que pasa por tamiz #200)**							**MATERIALES LIMO-ARCILLOSOS (Más del 35% pasa tamiz #200)**				
Clasificación por grupos	**A-1**		**A-3**	**A-2**				**A-4**	**A-5**	**A-6**	**A-7**	
	A-1a	**A-1b**		**A-2-4**	**A-2-5**	**A-2-6**	**A-2-7**				**A-7-5**	**A-7-6**
Análisis granulometrico												
Porcentaje que pasa:												
Tamiz No.10	50 máx	-----	-----	-----	-----	-----	-----	-----	-----	-----	-----	-----
Tamiz No.40	30 máx	50 máx	51 min	-----	-----	-----	-----	-----	-----	-----	-----	-----
Tamiz No.200	15 máx	25 máx	10 máx	35 máx	35 máx	35 máx	35 máx	36 min	36 min	36 min		36 min
Caracteristicas de la fracción que pasa tamiz #40:												
Limite Liquido	-----		-----	40 máx	41 min	40 máx	41 min	40 máx	41 min	40 máx		41 min
Indice de plasticidad	6 máx		N.P	10 máx	10 máx	11 min	11 min	10 máx	10 máx	11 min		11 min
Indice de grupos	0			0		4 máx		8 máx	12 máx	16 máx	20 máx	
Tipos usuales de los materiales constitutivos más importantes	Fragmentos de piedra, grava		Arena Fina	Limoso o arcillosa Gravilla y arena				Suelos limosos		Suelos Arcillosos		
Comportamiento general como sub-rasante	Excelentes a buenos							Regulares a malos				

El indice de plasticidad de sub-grupo A-7-5 es igual o menos que el limite liquido menos 30. El indice de plasticidad del sub-grupo A-7-6 es mayor que el limite liquido menos 30.

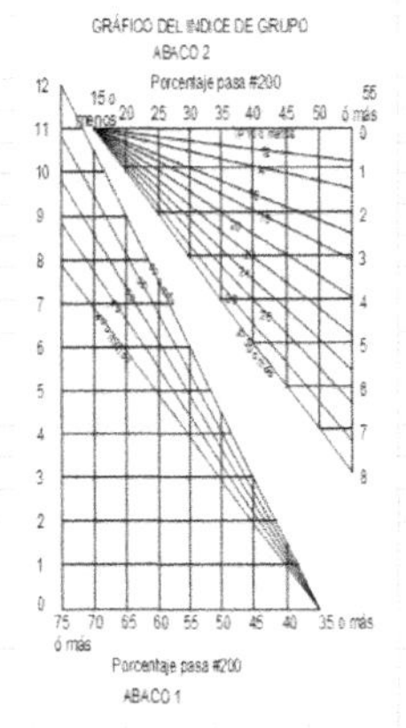

Indice de grupo: Suma de las lecturas de las escalas verticales en los dos ábacos.

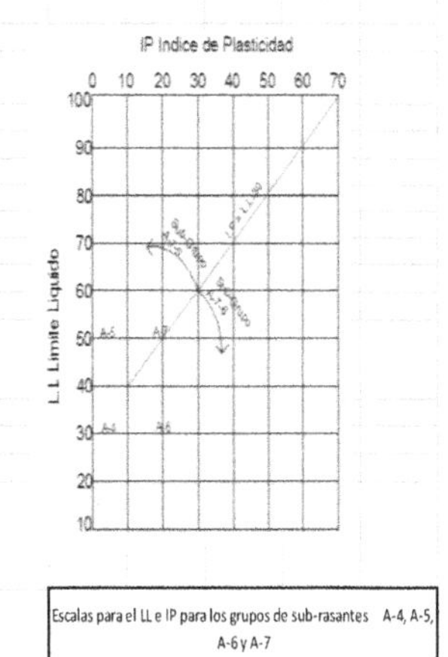

Escalas para el LL e IP para los grupos de sub-rasantes A-4, A-5, A-6 y A-7

Notas:

Los términos "gravilla", "arena gruesa", "arena fina" y "arcilla limosa" que pueden determinarse con los datos mínimos de los ensayos requeridos en este orden de clasificación y que se usan en las subsecuentes descripciones, se definan como sigue:
A. Gravilla: Material que pasa el tamiz de 3" y queda retenido en el tamiz #10.
B. Arena Gruesa: Material que pasa el tamiz #10 y se queda retenido en el tamiz #40.
C. Arena Fina: Material que pasa el tamiz #40 y es retenido en el tamiz #200.
D. Limo y Arcilla combinado: Material que pasa el tamiz #200.
E. Los cantos rodados (Retenido en el tamiz 3"): Se deben excluir de la parte de la muestra a la que se aplica la clasificación, pero el porcentaje de dicho material, cualquiera que sea, deberá anotarse en la muestra.
F. El término "limoso" se aplica al material fino con IP <=10, y el término "arcilloso" al material fino con IP>=11.

DESCRIPCIÓN DE LOS GRUPOS DE CLASIFICACIÓN:
A. MATERIALES GRANULARES: Son aquellos en los cuales el 35% o menos pasa el tamiz #200.

• Grupo A-1: El material típico de este grupo es una mezcla bien gradada de fragmentos de piedra o gravilla, arena gruesa, arena fina y un ligante no plástico o debidamente plástico. Sin embargo, incluye también este grupo fragmentos de piedra, gravilla, cenizas volcánicas, etc... sin ligante de material fino.

Sub-grupo A-1-a: Comprende aquellos materiales que consisten principalmente en fragmentos de piedra o gravilla bien gradada, con o sin ligante de material fino.

Sub-grupo A-1-b: Incluye aquellos materiales que consisten primordialmente en arena gruesa bien gradada, con o sin ligante.

• Grupo A-2: Este grupo incluye una gran variedad de materiales "granulares", comprendidos entre los materiales de los grupos A-1 y A-3, por una parte, y los materiales arcillosos y limosos de los grupos A-4, A-5, A-6 y A-7, por la otra. Comprende pues, todos los materiales en los cuales un 35% o menos pasa tamiz #200 y que no pueden clasificarse como A-1 o A-3, debido a que el contenido de finos o la plasticidad, o ambos, exceden los límites de tales grupos.
Sub-grupos A-2-4 y A-2-5: Encierran varios materiales granulares, en los cuales el 35% o menos pasa el tamiz #200, poseyendo las características de los grupos A-4 y A-5, pasa la fracción que pasa el tamiz #40. Comprenden estos grupos, materiales tales como gravilla y arena gruesa con contenido de limo o índices de plásticos que exceden los límites de grupo A-1, y arena fina con contenido de limo no plástico que sobrepasa los límites del grupo A-3.

Sub-grupos A-2-6 y A-2-7: Se refieren a materiales similares a los descritos en los sub-grupos A-2-4 y A-2-5, con excepción de la porción fina, la cual contiene arcilla plástica de las mismas características del grupo A-6 o A-7. El efecto combinado y aproximado de índices de plasticidad superiores de 10 y de porcentajes que pasan el tamiz #200 superiores a 15, está reflejado en valores de índice de grupo entre 0 y 4.

b. Materiales limosos y arcillosos: Son aquellos en los cuales más del 35% para el tamiz #200.

• Grupo A-3: El material característico de este grupo es la arena fina de playa o la arena fina acarreada de desierto, sin finos limosos o arcillosos, o con una pequeña cantidad de limo plástico. Comprende también el grupo, mezclas de arena fina, pobremente gradada y depositadas en lechos, así como cantidades limitadas de arena gruesa y gravilla.

• Grupo A-4: Un suelo limoso no plástico o moderadamente plástico y en el cual el 75% o más pasa el tamiz #200, es el material que caracteriza a este grupo.

• Grupo A-5: El material característico de este grupo es similar al descrito en el grupo A-4, excepto en que usualmente es de carácter diatomáceo o micáceo, y puede ser altamente elástico según lo indican limites líquidos altos.

• Grupo A-6: Típico de este grupo es un suelo de arcilla plástica en el cual un 75% o más pasa el tamiz #200. Comprende también el grupo de mezclas de suelo arcilloso fino y de hasta 64% de arena y gravilla, retenidas en el tamiz #200. Los materiales de este grupo presentan usualmente grandes cambios de volumen entre el estado húmedo y el seco.

• Grupo A-7: El material característico de este grupo es similar al descrito en el grupo A-6, excepto en que posee los limites líquidos altos característicos del grupo A-5, y puede ser elástico así como puede estar sujeto a cambios volumétricos.

Sub-grupo A-7-5: Incluye materiales con índices plásticos moderados en relación con el índice líquido, y que pueden ser altamente elásticos, así como pueden estar también sujetos a cambios considerables de volumen.

Sub-grupo A-7-6: Comprende materiales con altos índices plásticos en relación con el índice líquido y están sujetos a cambios de volumen extremadamente altos.

Las notas son tomadas de clases, conferencias de suelos y geotécnia de la Universidad nacional de Manizales.

IV. TABLAS INVIAS

- SUB-BASE GRANULAR
- BASE GRANULAR
- MEZCLA ASFÁLTICA

FUENTE: Instituto de vías – Invias de Colombia

REQUISITOS DE LOS MATERIALES PARA AFIRMADOS Y SUBBASES Y BASES GRANULARES								
CAPA	PARTIC. FRACTUR MECANICAM (Agr.grueso)	DESGASTE DE LOS ANGELES	PERDIDAS EN ENSAYO DE SOLIDEZ EN		INDICES DE APLANAM. Y ALARGAM.	C.B.R	I.P	EQUIVAL. DE ARENA
			Sulfato de sodio	Sulfato de Magnesio				
Norma INV	E-227	E-218 y E-219	E-220	E-220	E-230	E-148	E-125 y E-126	E-133
AFIRMADO		50% máx.	12% máx.	18% máx.			4 - 9	
SUBBASE GRANULAR		50% máx.	12% máx.	18% máx.		20,30 ó 40% min.	< = 6	25% min.
BASE GRANULAR	50% min.	40% máx.	12% máx.	18% máx.	35% máx.	80% min.	< = 3	30% min.

SUBBASE		
TAMIZ		% QUE PASA
NORMAL	ALTERNO	SBG-1
50,0 mm	2"	100
37,5 mm	1 1/2"	70 - 100
25,0 mm	1"	60 - 100
12,5 mm	1/2"	50 - 90
9,5 mm	3/8"	40 - 80
4,75 mm	N°4	30 - 70
2,0 mm	N°10	20 - 55
425 µm	N°40	10 - 40
75 µm	N°200	4 - 20

BASE			
TAMIZ		PORCENTAJE QUE PASA	
NORMAL	ALTERNO	BG-1	BG-2
37, 5 mm	1 1/2"	100	-
25,0 mm	1"	70 - 100	100
19,0 mm	3/4"	60 - 90	70 - 100
9,5 mm	3/8"	45 - 75	50 - 80
4,75 mm	N°4	30 - 60	35 - 65
2,0 mm	N°10	20 - 45	20 - 45
425 µm	N°40	10 - 30	10 - 30
75 µm	N°200	5 - 15	5 - 15

Compactación: Al 95% del proctor modificado (INV-E-142)
Tolerancia para el recibo de subbase: 2 cms.

Compactación: Al 100% del proctor modificado (INV-E-142). Tolerancia para el recibido de base: 2cms.

MEZCLA DENSA EN CALIENTE				
TAMIZ		PORCENTAJE QUE PASA		
NORMAL	ALTERNO	MDC-1	MDC-2	MDC-3
25,0 mm	1"	100	-	-
19,0 mm	3/4"	80 - 100	100	-
12,5 mm	1/2"	67 - 85	80 - 100	-
9,5 mm	3/8"	60 - 77	70 - 88	100
4,75 mm	N°4	43 - 54	51 - 68	85 - 87
2,0 mm	N°10	29 - 45	38 - 52	43 - 61
475 µm	N°40	14 - 25	17 - 28	16 - 29
180 µm	N°80	8 - 17	8 - 17	9 - 19
75 µm	N°200	4 - 8	4 - 8	5 -10

Compactación: Densidad media 98 de la máxima teórica.
USOS: **MDC-1:** Bases asfalticas y bacheos.
MDC-2: Capas de rodaduras de espesores > a 3cm.
MDC-3: Capas de rodaduras de espesores < a 3cm.
Extendida de asfalto: Entre 200°F y 300°F (93°C y 149°C).
Temperatura atmosferica minima 10°C.
Tolerancia para el recibo de MDC: 1cm.

Compactación: Entre 200°F y 300°F (93°C y 149°C).
1. Cilindro 2 ó 3 veces vibrando.
2. Compactador de llantas 2 ó 3 veces pasadas (La presion de las llantas entre 50 y 90 psi, entre 1250 y 1500Kg.
3. Cilindro sin vibrar 1 ó 2 veces (para corregir imperfecciones).

COMPACTACIÓN	AMPLITUD mm	FRECUENCIA VPM
Suelos	0,70 - 1,80	1560 - 1800
Pavimentos	0,20 - 0,75	2200 - 3500

DISEÑO DE MEZCLA ASFALTICA Y OBTENCION DE LA FORMULA DE TRABAJO				
CARACTERISTICAS		TRANSITO DE DISEÑO (N) Ejes Equivalentes de 80KN.		
		>5 x 10E6	5x10E5-5x10E6	<5 x 10E5
Compactación	golpes/cara	75	75	75
Estabilidad minima	Kg	750	650	500
Flujo	mm	2 - 3,5	2 - 4	2 - 4
Vacios con aire:				
Capa de rodadura	%	4 - 6	3 -5	3 -5
Base asfaltica	%	4 - 8	3 - 8	3 - 8
Vacios minimos en agregados minerales:				
Gradación MDC-1	%	14	14	14
Gradación MDC-2	%	15	15	15
Gradación MDC-3	%	16	16	16

RELACIÓN LLENANTE / LIGANTE DE LA MEZCLA ÓPTIMA		
TEMPERATURA MEDIA ANUAL (°c)	EJES EQUIVALENTES DE 80KN.	
	>=5x 10E6	<5x 10E6
>15	1.2	1.1
<=15	1.1	1.0

MEZCLA ABIERTA EN CALIENTE				
TAMIZ		PORCENTAJE QUE PASA		
NORMAL	ALTERNO	MAC-1	MAC-2	MAC-3
75,0 mm	3"	100	-	-
63,0 mm	2 1/2"	95 - 100	100	-
50,0 mm	2"	-	-	100
37,5 mm	1 1/2"	30 - 70	35 - 70	75 - 90
19,0 mm	3/4"	3 - 20	5 - 20	50 - 70
9,5 mm	3/8"	0 - 5	-	-
4,75 mm	N°4	-	-	8 - 20
2,36 mm	N°8	-	0 - 5	-
150 µm	N°100	-	-	0 - 5

Material bituminoso: Cemento asfaltico de penetración 60-70.
Compactación: Con rodillo liso preferiblemente entre 8T y 10T de peso.
Porcentaje de asfalto: Entre 1,5% y 3,0%.

Referencias tomadas de NORMA INVIAS

REQUISITOS DE LOS AGREGADOS PETREOS PARA TRATAMIENTOS Y MEZCLAS BITUMINOSAS												
TIPO DE TRATAMIENTO O MEZCLA	PART. FRACT. MECAN. (Ag Grueso)	DESGASTE DE LOS ANGELES	PERDIDAS EN ENSAYO DE SOLIDEZ EN		ADHESIVIDAD				INDICES DE APLAN. Y ALARGAM.	COEF. PULIMIENTO ACELERADO	I.P	EQUIVALENTE DE ARENA
			Sulf. de sodio	Sulf. de magnesio	RIEDEL WEBBER	STRIPPING	BANDEJA	RES. CONS. INCOMP.				
Norma INV	E-227	E-218 y E-219	E-220	E-220	E-774	E-737	E-740	E-738	E-230	E-232	E-125 y E-126	E-133
SELLO DE ARENA ASFALTO			12% máx	18% máx	4 min						N.P	50% min
TTO SUPERFICIAL SIMPLE Y DOBLE.	75% min	40% máx	12% máx	18% máx			80% min		35% máx	0,45 min		
LECHADA ASFALTICA		35% máx	12% máx	18% máx	4 min						N.P	50% min
MEZCLA ABIERTA EN FRIO	75% min	35% máx (base) 30% máx (rodadura)	12% máx	18% máx		95% min			35% máx	0,45 min (rodadura)		
MEZCLA DENSA EN FRIO Agreg. Grueso Agreg. Fino Gradación Combinada	75% min	40% máx (base) 30% máx (rodadura)	12% máx 12% máx	18% máx 18% máx				75% min	35% máx	0,45 min	N.P	50% min
MEZCLA ABIERTA EN CALIENTE	75% min	35% máx	12% máx	18% máx		95% min			35% máx			
MEZCLA DENSA EN CALIENTE Agreg. Grueso Agreg. Fino Gradación Combinada	75% min	40% máx (base) 30% máx (rodadura)	12% máx 12% máx	18% máx 18% máx				75% min	35% máx	0,45 min	N.P	50% min
RECICLADO DEL PAVIMENTO EXISTENTE (Material de adición)	50% min	40% máx	12% máx	18% máx					35% máx		N.P	30% min en frio, 50% min en caliente

TIPO DE CEMENTO ASFALTICO POR EMPLEAR EN MEZCLA CALIENTE			
TRANSITO DE DISEÑO 10 EJES DE 80KN.	TEMPERATURA MEDIA ANUAL DE LA REGIÓN		
	24°C +	15-24 °C	15°C -
5+	60 - 70	60 - 70	80 - 100
0,5 a 5	60 - 70	60 - 70 u 80 - 100	80 - 100
0,5 -	60 - 70	60 - 70 u 80 - 100	80 - 100

IMPRIMACIÓN: 1. Asfalto liquido MC-70 (MOP M-15). Consumo 0,3 gal/m2.
2. Asfalto liquido AC-190 de durado medio aplicado entre 40°C y 70°C. Consumo entre 1 y 2 Lt/m2.
3. Emulsión asfaltica cationica estabilizada rotura lenta. Contenido asfalto 50-65% aplicada a una temperatura minima de 25°C. Consumo entre 1,5 y 3 Kg/m2.
4. Temperatura atmosferica minima 15°C.
5. Tiempo de curado entre 24 y 48 horas.
6. Emulsión cationica de rotura lenta tipo CRL-0.
7. Emulsión cationica de rotura lenta tipo CRL-1. Diluida en 40% de agua.

ESPECIFICACIONES DEL CEMENTO ASFALTICO						
CARACTERISTICAS		NORMA ENSAYO INV	60 - 70		80 - 100	
			MIN	MAX	MIN	MAX
PENETRACIÓN (25°C, 100g, 5s)	0,1 mm	E-706	60	70	80	100
INDICE DE PENETRACIÓN		E-724	-1	+1	-1	+1
PERDIDA POR CALENTAMIENTO EN PELICULA DELGADA (163°C, 5h)	%	E-721	-	1	-	1
DUCTILIDAD (25°C, 5cm/min)	cm	E-702	100	-	100	-
PENETRACIÓN DEL RESIDUO LUEGO DE LA PERDIDA POR CALENTAMIENTO, EN % DE LA PENETRACIÓN ORIGINAL	%		75	-	75	-
SOLUBILIDAD EN TRICLOROETILENO	%	E-713	99	-	99	-
CONTENIDO DE AGUA	%	E-704	-	0.2	-	0.2

LIGA: 1. Asfalto liquido RC-250 (MCP M-14). Consumo de 0,005 a 0,15 gal/m2.
2. Cemento asfaltico AC-60-100 aplicado entre 110°C y 150°C.
3. Asfalto de curado rapido 70-90 aplicado entre 70°C y 100°C.
4. Emulsión asfaltica cationica estabilizada de rotura rapida con contenido de asfalto entre 50% y 60%, aplicada minimo a 25°C. Consumo de 0,05 a 0,15 gal/m2.

Referencias tomadas de NORMA INVIAS

CANTIDAD APROXIMADA DE ARENA Y CEMENTO PARA UN METRO CUBICO DE MORTERO APROX.			
PROPORCIÓN	CEMENTO		ARENA
	KILOS	SACOS DE 50Kg	SECA m3
1:2	610	12 1/2	0,97
1:3	454	9	1,08
1:4	364	7 1/4	1,16
1:5	302	6	1,20
1:6	261	5 1/4	1,20
1:7	229	4 1/2	1,25
1:8	203	4	1,25
1:10	166	3 1/4	1,25
1:12	141	2 3/4	1,25

AGUA PROMEDIO 22
Lt/saco cemento

CANTIDAD DE CEMENTO, ARENA Y TRITURADO POR METRO CUBICO DE CONCRETO APROX.					
MEZCLA	CEMENTO		ARENA m3	TRITURADO m3	RESISTENCIA psi
	KILOS	SACOS			
1:2:2	420	9 1/2	0,670	0,670	4000
1:2:2 1/2	380	7 1/2	0,600	0,780	3500
1:2:3	350	7	0,555	0,835	3000
1:2:3 1/2	320	6 1/2	0,515	0,900	2700
1:2:4	300	6	0,475	0,950	2500
1:2 1/2: 4	280	6 1/4	0,535	0,890	2000
1:2 1/2: 4 1/2	260	5 1/2	0,520	0,940	1800
1:3:3	300	5	0,715	0,715	1600
1:3:4	250	5 1/4	0,625	0,835	1500
1:3:5	230	4 1/2	0,565	0,920	1400
1:3:6	210	4	0,300	1,000	1300
1:4:7	175	3 1/2	0,555	0,975	1200
1:4:9	160	3 1/4	0,515	1,025	1200

AGUA PROMEDIO 22
Lt/saco cemento

NOTA: Para mezcla 1:1.5:1.5 se espera triturado máx diametro 3/4" de pulgada

Referencias tomadas de catálogos técnicos SIKA, TOXEMEN e ICPC(Instituto colombiano productores de cemento)

V. PROPORCIONES, MEZCLAS EN MORTEROS – CONCRETOS Y ACEROS

FUENTE: REFERENCIAS TOMADAS DE CATÁLOGOS TÉCNICOS SIKA, TOXEMEN E ICPC (Instituto Colombiano Productores de Cemento).

CANTIDAD APROXIMADA DE ARENA Y CEMENTO PARA UN METRO CUBICO DE MORTERO APROX.			
PROPORCIÓN	CEMENTO		ARENA
	KILOS	SACOS DE 50Kg	SECA m3
1:2	610	12 1/2	0,97
1:3	454	9	1,08
1:4	364	7 1/4	1,16
1:5	302	6	1,20
1:6	261	5 1/4	1,20
1:7	229	4 1/2	1,25
1:8	203	4	1,25
1:10	166	3 1/4	1,25
1:12	141	2 3/4	1,25

AGUA PROMEDIO 22 Lt/saco cemento

CANTIDAD DE CEMENTO, ARENA Y TRITURADO POR METRO CUBICO DE CONCRETO APROX.					
MEZCLA	CEMENTO		ARENA m3	TRITURADO m3	RESISTENCIA psi
	KILOS	SACOS			
1:2:2	420	9 1/2	0,670	0,670	4000
1:2:2 1/2	380	7 1/2	0,600	0,780	3500
1:2:3	350	7	0,555	0,835	3000
1:2:3 1/2	320	6 1/2	0,515	0,900	2700
1:2:4	300	6	0,475	0,950	2500
1:2 1/2: 4	280	6 1/4	0,535	0,890	2000
1:2 1/2: 4 1/2	260	5 1/2	0,520	0,940	1800
1:3:3	300	5	0,715	0,715	1600
1:3:4	250	5 1/4	0,625	0,835	1500
1:3:5	230	4 1/2	0,565	0,920	1400
1:3:6	210	4	0,300	1,000	1300
1:4:7	175	3 1/2	0,555	0,975	1200
1:4:9	160	3 1/4	0,515	1,025	1200

AGUA PROMEDIO 22 Lt/saco cemento

NOTA: Para mezcla 1:1.5:1.5 se espera triturado máx diametro 3/4" de pulgada

Referencias tomadas de catálogos técnicos SIKA, TOXEMEN e ICPC(Instituto colombiano productores de cemento)

AREAS Y PERIMETRO DE VARILLAS REDONDAS DE REFUERZO

Diametro	d (cm) w (Kg/m)	Area o	1	2	3	4	5
1/4	d 0,63	As	0.316	0.63	0.95	1.26	1.58
	w 0,25	o	1.995	3.99	5.985	7.98	9.975
3/8	d 0,95	As	0.712	1.42	2.14	2.85	3.56
	w 0,56	o	2.992	5.98	8.98	11.97	14.96
1/2	d 1,27	As	1.267	2.53	3.80	5.07	6.34
	w 1,00	o	3.990	7.98	11.97	15.96	19.95
5/8	d 1,59	As	1.979	3.96	5.94	7.92	9.90
	w 1,55	o	4.987	9.97	14.96	19.95	24.94
3/4	d 1,91	As	2.850	5.70	8.55	11.40	14.25
	w 2,24	o	5.985	11.97	17.96	23.94	29.93
7/8	d 2,22	As	3.879	7.76	11.64	15.52	19.40
	w 3,04	o	6.982	13.96	20.95	27.93	34.91
1	d 2,54	As	5.067	10.13	15.20	20.27	25.34
	w 3,97	o	7.980	15.96	23.94	31.92	39.90

As= Area en cm. Cuadrados

o= Perimetro en centimetros.

Fuente: Catalogo técnico Sika Andina S.A. (Agenda 1973)

ANCHO MINIMO DE UNA VIGA (cm)

Anclaje Ordinario

DIAMETRO	NUMERO DE VARILLAS EN UNA FILA							
	1	2	3	4	5	6	7	8
1/4	7.6	10.8	13.9	17	20.1	23.3	26.4	29.5
3/8	7.9	11.4	14.8	18.3	21.7	25.2	28.6	32.1
1/2	8.3	12.0	15.8	19.6	23.3	27.1	30.9	34.7
1/2	8.3	12.1	15.9	19.7	23.5	27.4	31.2	34.9
5/8	8.6	12.7	16.8	20.9	24.9	29	33.1	37.2
5/8	8.6	13.4	18.1	22.9	27.7	32.4	37.2	42
3/4	8.9	13.7	18.5	23.2	28	32.8	37.6	42.3
3/4	8.9	14.6	20.4	26.1	31.8	37.6	43.3	49
7/8	9.2	14.8	20.3	25.7	31.4	36.8	42.5	48.1
7/8	9.2	15.9	22.5	29.2	35.8	42.5	49.2	55.8
1	9.5	15.9	22.3	28.6	34.9	41.2	47.6	54
1	9.5	17.2	24.8	32.4	40	47.6	55.3	62.9
1 1/4	10.2	18.2	26.0	33.9	41.8	49.7	57.6	65.6
1 1/4	10.2	19.7	29.2	38.7	48.2	57.7	67.2	76.7

El ancho minimo se establece según rango establecido, se recomienda usar el mayor

Fuente: Catalogo técnico Sika Andina S.A. (Agenda 1973)

Mezclas de morteros y resistencias esperadas

Mezcla	Cemento		Arena	Agua Litros		Integral	Resistencia Esperada	
	Kilos	Bulto	m3	Arena seca	Arena hum.	Kilos	Mpa	PSI
1 : 2	610	12.20	0.97	250	220	31.25	31	4400
1 : 3	454	9.08	1.09	220	185	22.50	28	3980
1 : 4	364	7.28	1.16	185	170	18.20	24	3400
1 : 5	302	6.04	1.18	170	150	15.00	20	2850
1 : 6	261	5.22	1.20	150	140	13.20	16	2280
1 : 7	228	4.56	1.25	140	130	11.20	12	1850

Fuente: IDEAS CIVILES S.A.

Barras de acero

BARRA	Diametro	Diametro	Area	Masa	LONGITUDES cm (Concretos de f/c 21 Mpa - 3000 PSI)					
					GANCHO		DESARROLLO		TRASLAPO	
No.	pulg	mm	cm2	Kg/ml	90°	180°	TRACCION INF - SUP	COMPRESION	TRACCION INF - SUP	COMPRESION
#2	1/4"	6.4	0.32	0.25	12	10	30-37	15	37-48	30
#3	3/8"	9.5	0.71	0.56	17	15	42-55	22	55-71	30
#4	1/2"	12.7	1.29	0.994	23	19	56-73	30	73-95	38
#5	5/8"	15.9	1.99	1.552	28	24	70-91	37	91-119	47
#6	3/4"	19.1	2.84	2.235	34	29	84-110	44	110-142	56
#7	7/8"	22.2	3.87	3.042	39	34	122-159	51	159-206	66
#8	1"	25.4	5.1	3.973	45	38	140-182	59	182-236	75
#10	1-1/4"	32.3	8.19	6.404	62	59	172-231	74	231-300	95

Densidad acero 7,800 kg/m3

Fuente: IDEAS CIVILES S.A.

VI. TENSOACTIVO HIDRATANTE PARA MORTEROS

JABÓN LÍQUIDO CON ADITIVO

POR: ING. JOSÉ GILBERTO LÓPEZ HERRERA

FUENTE: Libro EL USO DEL JABÓN EN LA CONSTRUCCIÓN.

Editado por la Universidad Libre Seccional Pereira

Año 2011 Centro de Investigaciones

Autor: JOSÉ GILBERTO LÓPEZ HERRERA

CONSIDERACIONES GENERALES DEL USO DEL JABÓN EN LA CONSTRUCCIÓN

- El jabón sirve de lubricante facilitando el deslizamiento de unas partículas sobre otras, la cual le comunica la FLUIDEZ, ayuda a obturar los espacios entre partícula y partícula, dando al conjunto un alto grado de impermeabilidad. Además, por la FLUIDEZ ayuda al incremento de la resistencia, reduce la **exudación** y la **segregación** aumentando la **plasticidad**.
- Con el jabón se está tratando la materia orgánica de los agregados puesto que contiene el **ESTER** con la adición de hidróxido de sodio se forma el jabón con propiedades dispersantes, disminuyendo la actividad orgánica y otra parte asimila como núcleo Inactivo en las **MICELAS**.
- Disminuye la **TENSIÓN SUPERFICIAL** mediante la formación de una nueva interfase (película) produciendo humectación, dispersión y emulsionamiento (primera propiedad de los tensoactivos).
- La segunda propiedad de los tensoactivos es la formación de **micelas.**
- En morteros: tiene la propiedad de retener el agua o sea que hidrata dando buena manejabilidad y tiene suficiente **cohesión** para impedir que se escurra el agua, además que el elemento sobre el que se aplique no le absorba toda el agua a la mezcla.
- **Jabón común (tensoactivos):** se clasifican como tensoactivos de anión activo. Los compuestos de esta clase no están distribuidos uniformemente en el disolvente, siendo su concentración en la superficie de éste y cerca de ella, apreciablemente mayor que en resto de la masa líquida.
- Como el jabón es adherente y como es un incursor de aire en la mezcla, pero por la

adherencia que tiene interliga esas cámaras de aire no dejándolas actuar independiente sino como un conjunto de la mezcla y de esta forma no deja por este aspecto de ser incursor de aire, disminuir en gran proporción la resistencia, sino que trata de conservarla además aumentándola considerablemente y sirve también como desmoldante. Con la propiedad de adherencia del jabón incluso en la agricultura se debe utilizar para las fumigaciones ayudando a que se adhieran al plantío y no se pierdan los objetivos, además que, por su poder dispersante de materias especialmente orgánicas, puede contribuir más a disminuir la actividad del mal que ataca la planta.

Con la propiedad adherente, incluso es tipo cementante y sirve como lubricante y cementante para las tuberías de empaques de caucho, ayudando para su instalación rebajando costos e incrementando impermeabilidad y resistencia en la unión de los tubos, tanto es así que luego incluso las uniones de los tubos se tienen que picar para poderse levantar los tubos al desunirlos.

El jabón sirve de interventor, porque en revoques el oficial mal revocador se saca solo, al deslizarse el champeo y revoque, esto hace que el revoque quede bien asentado, tipo mortero maestros antiguos y utilizándose en fachadas por los revoques así bien compactados, impermeabiliza en alta proporción.

- Se debe analizar bien la actividad, los tipos de materiales y los elementos sobre los cuales se va a aplicar, así como el clima de la zona donde se está trabajando.
- Aprovechando las propiedades tensoactivas, se le puede adicionar otros productos para combinar y mejorar su comportamiento en su uso, utilizándose además para la fabricación de elementos prefabricados en concreto y se mejora en alto grado la impermeabilización con melazas, además se adquieren otras propiedades adicionales.

La melaza es un residuo de la producción de azúcar, contiene todos los minerales y vitaminas que se encuentra en la caña de azúcar, además contiene gran cantidad de azúcar, por tal razón se utiliza para obtener alcohol, porque la sacarosa se descompone en glucosa y fructuosa y estas se convierte en alcohol y gas carbónico o CO_2.

Pero se debe tener mucho cuidado en sus procesos, porque si se mezcla con otros aditivos no especificados, puede causar efectos contrarios y por su propiedad desintegrante, puede eliminar propiedades y características del otro producto, además que juega y un gran factor importante la época, los tipos de clima y la posición geográfica donde se utilice.

En nuestros proyectos realizados desde el año de 1.990 con esta técnica por la firma **LOPEZ HERMANOS INGENIEROS LTDA** con 40 años de experiencia, de la cual soy socio directo de proyectos y jefe de gestión de calidad de la Norma ISO 9001 2010 en la cual nos certificamos hace 17 años implementada en todos nuestros procesos, hemos logrado un alto grado de confiabilidad en nuestros proyectos, de calidad y rendimiento en nuestras obras.

Como característica principal y condición muy importante a tener en cuenta, es que si se utiliza el jabón con aditivo sea, el **TENSOACTIVO HIDRATANTE PARA MORTEROS LIQUIDO, EL CUAL EL AUTOR YA LO ESTA PREPARANDO Y UTILIZANDO EN TODOS LOS PROYECTOS**, desde que la mezcla del mortero ya sea para pegas de muros o revoques tenga incluido el tensoactivo con aditivo líquido, si se descuidan en el agua para el fragüe de dichas pegas o revoques, desde que se le haya adicionado el tensoactivo líquido, aunque trate de quemarse dicha mezcla ya instalada en morteros de pega o revoques al aplicársele con manguera e hidratarlo con agua se recupera totalmente las mezclas y no quedan quemados los morteros, esto es bastante importante y una característica muy a favor que no se da con ningún otro producto sino con el tensoactivo hidratante para morteros líquido.

Puede consultar el libro “EL USO DEL JABON EN LA CONSTRUCCION” de mi autoría, editado por la Universidad Libre Seccional Pereira año 2011 centro de investigaciones.

JOSE GILBERTO LOPEZ HERRERA
Ingeniero Civil - TP 887 CP Caldas

VIII. BIBLIOGRAFIA

NORMA SISMO RESISTENTE COLOMBIANA, TITULO C: Materiales, COLOMBIA: 2010. C-41, C-43.

NORMA SISMO RESISTENTE COLOMBIANA, TITULO C: requisitos de durabilidad, COLOMBIA: 2010. C-61, C-69.

NORMA SISMO RESISTENTE COLOMBIANA, TITULO C: Calidad del concreto, mezclado y colocación, COLOMBIA: 2010. C-72, C-79.

INV E – 123 – 07 (ANÁLISIS GRANULOMÉTRICO DE SUELOS POR TAMIZADO)

INV E – 212 – 07 (CONTENIDO APROXIMADO DE MATERIA ORGÁNICA EN ARENAS USADAS EN LA PREPARACIÓN DE MORTEROS O CONCRETOS)

INV E – 213 – 07 (ANÁLISIS GRANULOMÉTRICO DE AGREGADOS GRUESOS Y FINOS)

INV E – 218 – 07 (RESISTENCIA AL DESGASTE DE LOS AGREGADOS DE TAMAÑOS MENORES DE 37.5 mm (1½") POR MEDIO DE LA MAQUINA DE LOS ANGELES)

INV E – 404 – 07 (ASENTAMIENTO DEL CONCRETO (SLUMP))

INV E – 228 – 07 (CORRECCIÓN POR PARTÍCULAS GRUESAS EN EL ENSAYO DE COMPACTACIÓN DE SUELOS)

INV E – 222 – 07 (GRAVEDAD ESPECÍFICA Y ABSORCIÓN DE AGREGADOS FINOS)

INV E – 223 – 07 (PESO ESPECÍFICO Y ABSORCIÓN DE AGREGADOS GRUESOS)

INV E – 410 – 07 (RESISTENCIA A LA COMPRESIÓN DE CILINDROS DE CONCRETO)

FUENTE: INFORME LABORATORIOS ESTUDIANTES (YA HOY INGENIEROS) ASIGNATURA MATERIALES DE CONSTRUCCION (Universidad Libre Seccional Pereira)

NORMAS INVIAS

NORMAS NSR – 10 Y DECRETOS COMPLEMENTARIOS

INFORME LABORATORIOS ESTUDIANTES (YA HOY INGENIEROS) ASIGNATURA MATERIALES DE CONSTRUCCION (Universidad Libre Seccional Pereira)

Universidad Nacional de Colombia Seccional de Medellín Facultad de Minas.

Nociones sobre presupuesto para movimiento de tierra.

Autor: Héctor Otálvaro Osorio

Centro de publicaciones U.N.

1985

EL USO DEL JABÓN EN LA CONSTRUCCION – UNIVERSIDAD LIBRE SECCIONAL PEREIRA – CENTRO DE INVESTIGACIONES AÑO 2011 POR ING. CIVIL JOSÉ GILBERTO LÓPEZ HERRERA.

http://es.scribd.com/doc/14471810/Ensayo-de-resistencia-a-la-compresion-en-cilindros-normales-de-concreto

http://www.nrmca.org/aboutconcrete/cips/CIP35es.pdf

Memorias de clase, asignaturas materiales de construcción y laboratorio, programa Ingeniería Civil Universidad Libre Seccional Pereira.

Conferencias Universidad Nacional de Colombia Seccional Medellín: Nociones sobre presupuestos para movimiento de tierra, autor: Héctor Otálvaro Osorio. Temas de clase en Universidad Nacional Seccional Manizales.

Conferencias Universidad Nacional de Colombia Seccional Manizales, sección publicaciones 1974.

Referencias tomadas de catálogos técnicos Sika, Toxement e ICPC (Instituto Colombiano Productores de cemento).

INDICE

MATERIALES DE CONSTRUCCION

PROYECTO MIRADOR DE LA ESTANCIA - DOSQUEBRADAS (RDA)
CONSTRUCTORA OROFINO S.A.S.
LOPEZ HERMANOS INGENIEROS LTDA
FOTOGRAFIA DANIEL DAZA LÓPEZ

JOSÉ GILBERTO LÓPEZ HERRERA

Ingeniero Civil – Universidad Nacional Seccional Manizales

Especialista Alta Gerencia – Universidad Libre Seccional Pereira

Especialista Ingeniería Hidráulica y Ambiental – Universidad Nacional Seccional Manizales